Kent Haruf

Unsere Seelen
bei Nacht

ROMAN

Aus dem Amerikanischen
von pociao

Diogenes

Titel der 2015 bei Alfred A. Knopf, New York,
erschienenen Originalausgabe: ›Our Souls at Night‹
Copyright © 2015 by Kent Haruf
This translation published by arrangement
with Alfred A. Knopf, an imprint of
The Knopf Doubleday Group,
a division of Penguin Random House, LLC.
Covermotiv: Gemälde von Alex Katz,
›Yellow House 1‹ (Detail), 2001
Copyright © Alex Katz/
2017, ProLitteris, Zürich/akg-images

Alle deutschen Rechte vorbehalten
Copyright © 2017
Diogenes Verlag AG Zürich
www.diogenes.ch
100/17/44/3
ISBN 978 3 257 06986 0

Für Cathy

I

Und dann kam der Tag, an dem Addie Moore bei Louis Waters klingelte. Es war an einem Abend im Mai, kurz bevor es endgültig dunkel wurde.

Sie wohnten einen Häuserblock voneinander entfernt in der Cedar Street, im ältesten Teil der Stadt. Ulmen, Zürgelbäume und ein einzelner hoher Ahorn säumten die Straße und die grünen Rasenflächen vor den einstöckigen Häusern. Es war ein warmer Tag gewesen, doch jetzt am Abend kühlte es ab. Sie ging auf dem Bürgersteig unter den Bäumen entlang und bog zu Louis' Haus ab.

Als er ihr die Tür aufmachte, fragte sie: Könnte ich kurz reinkommen und etwas mit dir besprechen?

Sie setzten sich ins Wohnzimmer. Möchtest du etwas trinken? Eine Tasse Tee?

Nein, danke. Vielleicht bleibe ich nicht lange genug, um ihn auszutrinken. Sie sah sich um. Du hast es schön hier.

Diane hat das Haus immer gut in Schuss gehalten. Und ich gebe mir Mühe.

Es ist immer noch schön. Ich war seit Jahren nicht mehr hier.

Ihr Blick schweifte aus dem Fenster an der Seite des Hauses, wo es jetzt Nacht wurde, und dann in die Küche. Über der Spüle und den Arbeitsflächen brannte schon Licht. Alles wirkte sauber und ordentlich.

Er beobachtete sie. Eine attraktive Frau, das hatte er schon immer gedacht. In jüngeren Jahren hatte sie dunkles Haar gehabt, jetzt war es weiß und kurz geschnitten. Nach wie vor hatte sie eine gute Figur, nur um Taille und Hüften war sie ein wenig fülliger als früher.

Wahrscheinlich fragst du dich, was ich von dir will, sagte sie.

Nun ja, vermutlich bist du nicht hergekommen, um mir zu sagen, dass ich es hier schön habe.

Nein. Ich wollte dir einen Vorschlag machen.

Ach ja?

Ja, so etwas wie einen Antrag.

Okay.

Keinen Heiratsantrag.

Das hätte ich auch nicht erwartet.

Aber es geht in die Richtung. Nur weiß ich jetzt nicht, ob ich es schaffe. Ich kriege plötzlich kalte

Füße. Sie lachte ein bisschen. Es ist tatsächlich wie bei einem Heiratsantrag, nicht?

Was denn?

Kalte Füße.

Schon möglich.

Ja. Also, ich sag es jetzt einfach.

Ich höre, antwortete Louis.

Ich wollte fragen, ob du dir vorstellen könntest, hin und wieder zu mir zu kommen und bei mir zu schlafen.

Was? Wie meinst du das?

Ich meine, dass wir beide allein sind. Wir sind schon viel zu lange uns selbst überlassen. Seit Jahren. Ich bin einsam. Ich dachte, du vielleicht auch. Deshalb wollte ich fragen, ob du zu mir kommen und bei mir übernachten würdest. Und mit mir reden.

Er starrte sie an, betrachtete sie. Neugierig. Vorsichtig.

Du sagst ja gar nichts. Hat es dir die Sprache verschlagen?, fragte sie.

Ich glaube, ja.

Es geht nicht um Sex.

Das fragte ich mich gerade.

Nein, kein Sex. Das meine ich nicht. Ich habe schon lange keine Lust auf Sex mehr. Ich spreche davon, die Nacht zu überstehen. Es gemütlich und warm zu haben. Zusammen im Bett zu liegen, die ganze Nacht. Die Nächte sind am schlimmsten. Findest du nicht?

Doch. Das finde ich auch.

Am Ende nehme ich eine Tablette, um einzuschlafen, lese viel zu lange, und am nächsten Tag bin ich zu nichts zu gebrauchen. Keine Freude, weder für mich noch für den Rest der Welt.

Das kenne ich.

Aber ich glaube, dass ich wieder schlafen könnte, wenn jemand bei mir im Bett läge. Jemand, der nett ist. Wegen der Nähe. Wir könnten reden, in der Nacht, im Dunkeln. Sie wartete. Was meinst du?

Ich weiß nicht. Wann willst du denn damit anfangen?

Wann du willst. Falls du überhaupt willst, setzte sie hinzu. Diese Woche.

Lass mich darüber nachdenken.

Gut. Aber ruf mich an, wenn du kommst. Falls du kommen willst. Damit ich mich darauf einstellen kann.

Gut.

Dann warte ich auf deinen Anruf.

Und wenn ich schnarche?

Dann schnarchst du eben, oder du lernst, damit aufzuhören.

Er lachte. Das wäre was ganz Neues.

Sie stand auf und machte sich auf den Heimweg, und er stand in der Tür und sah ihr nach, einer mittelgroßen siebzigjährigen Frau mit weißem Haar, die unter den Bäumen davonging, durch die Lichtflecken, die die Straßenlaterne an der Ecke warf.

Ach, zum Teufel, sagte er. Jetzt bilde dir mal bloß nichts ein.

2

Am nächsten Tag ging Louis zum Friseur in der Main Street, ließ sich das Haar raspelkurz schneiden, zu einer Art Igelschnitt, und fragte den Friseur, ob er seine Kunden auch rasiere. Der Friseur sagte ja, und so ließ er sich obendrein eine Rasur verpassen. Dann ging er nach Hause, rief Addie an und sagte: Ich würde gern heute Abend vorbeikommen, wenn das noch gilt.

Ja, es gilt, sagte sie. Ich freue mich.

Nach einem leichten Abendessen, nur ein Sandwich und ein Glas Milch, damit er sich in ihrem Bett nicht zu voll und schwer fühlen würde, nahm er eine lange, heiße Dusche und schrubbte sich gründlich ab. Dann schnitt er Finger- und Fußnägel, und als es dunkel war, verließ er mit seinem Pyjama und der Zahnbürste in einer Papiertüte das Haus durch die Hintertür und folgte dem kleinen Seitenweg. Hier war es dunkel, und seine Schuhe knirschten auf dem Kies. In dem Haus auf der anderen Seite brannte Licht; er sah das Profil einer

Frau, die an der Spüle stand. Er ging weiter bis zu Addie Moores Garten, an der Garage vorbei, und klopfte an die Hintertür. Dann wartete er eine Weile. Vorn auf der Straße fuhr ein Wagen mit erleuchteten Scheinwerfern vorbei. Er hörte, wie sich in der Main Street die Highschool-Kids gegenseitig zuhupten. Dann flammte das Außenlicht über seinem Kopf auf, und die Tür öffnete sich.

Was machst du denn hier hinten?, fragte Addie.

Ich dachte, hier würde mich vermutlich keiner sehen.

Das ist mir gleich. Es kommt ohnehin raus. Irgendwer wird es mitkriegen. Komm lieber über den Bürgersteig, zur Vordertür. Ich habe mir das genau überlegt – es ist mir egal, was die Leute denken. Viel zu lange habe ich darauf geachtet, mein ganzes Leben lang. Aber damit ist jetzt Schluss. Wenn du von hinten über den Seitenweg kommst, wirkt es, als würden wir etwas Unrechtes oder Ungehöriges tun, etwas, wofür man sich schämen muss.

Ich war einfach zu lange Lehrer in einer Kleinstadt, sagte er. Das ist wohl der Grund. Aber gut. Nächstes Mal komme ich zur Vordertür. Falls es ein nächstes Mal gibt.

Glaubst du nicht?, fragte sie. Meinst du, es wird bloß ein One-Night-Stand?

Das weiß ich nicht. Vielleicht. Ohne den sexuellen Teil, natürlich. Ich weiß nicht, wie es laufen wird.

Hast du kein Vertrauen?, fragte sie.

In dich, ja. Dir kann ich vertrauen. Das sehe ich jetzt schon. Aber ich weiß nicht, ob ich dir gewachsen bin.

Was redest du da? Wie meinst du das?

Dein Mut, sagte er. Deine Risikobereitschaft.

Tja, immerhin bist du gekommen.

Stimmt. Hier bin ich.

Dann komm am besten rein. Wir müssen ja nicht die ganze Nacht draußen stehen. Selbst wenn es nichts ist, wofür man sich schämen müsste.

Er folgte ihr über die Veranda in die Küche.

Nehmen wir erst mal einen Drink, schlug sie vor.

Hört sich gut an.

Trinkst du Wein?

Hin und wieder.

Aber Bier wäre dir lieber?

Ja.

Dann besorge ich für nächstes Mal Bier. Und dann setzte sie hinzu: Falls es ein nächstes Mal gibt.

Er wusste nicht, ob sie ihn aufziehen wollte. Falls, wiederholte er.

Hättest du lieber Rot- oder Weißwein?

Weißwein, bitte.

Sie nahm eine Flasche aus dem Kühlschrank und schenkte jedem von ihnen ein halbes Glas ein. Dann setzten sie sich an den Küchentisch. Was hast du in der Tüte?, fragte sie.

Meinen Pyjama.

Das heißt, du willst es wenigstens einmal ausprobieren.

Ja, richtig.

Sie tranken den Wein.

Noch ein Glas?

Nein, ich glaube nicht. Könnten wir einmal durchs Haus gehen?

Du möchtest, dass ich dir die Zimmer und die Aufteilung zeige?

Ich würde nur gern wissen, wo ich überhaupt bin.

Damit du dich notfalls im Dunkeln rausschleichen kannst.

Also, nein, daran dachte ich eigentlich nicht.

Sie stand auf, und er folgte ihr ins Ess- und dann ins Wohnzimmer. Anschließend führte sie ihn nach oben zu drei weiteren Zimmern. Das große nach vorn heraus mit Blick auf die Straße war ihres. Das war früher unser Schlafzimmer, sagte sie. Gene hatte das Zimmer nach hinten heraus, und das andere nutzten wir als Arbeitszimmer.

Am Ende des Flurs lag das Badezimmer, und un-

ten neben dem Esszimmer gab es noch eine Gästetoilette. Auf dem riesigen Bett in ihrem Zimmer lag
eine leichte Baumwolldecke.

Und, was meinst du?, fragte sie.

Das Haus ist größer, als ich dachte. Mehr Zimmer.

Es war ein gutes Haus für uns. Ich wohne seit
vierundvierzig Jahren hier.

Drei Jahre nachdem Diane und ich wieder hierher zurückkamen.

Eine Ewigkeit.

3

Ich glaube, ich gehe noch kurz ins Bad, sagte
sie. Als sie aus dem Zimmer war, betrachtete er
die Bilder auf ihrer Kommode und an der Wand.
Hochzeitsfotos mit Carl und der ganzen Familie,
auf den Stufen irgendeiner Kirche. Die beiden in
den Bergen an einem Bach. Ein kleiner schwarz-
weißer Hund. Er hatte Carl nur flüchtig gekannt,
ein anständiger Mann, eher ruhig. Vor zwanzig
Jahren hatte er in ganz Holt County Agrar- und
andere Versicherungen verkauft und war zweimal
hintereinander zum Bürgermeister der Stadt ge-
wählt worden. Louis hatte ihm nicht wirklich nahe
gestanden. Jetzt war er froh darüber. Es gab auch
Fotos von ihrem Sohn. Gene sah keinem von beiden ähnlich. Ein hochgewachsener, schmaler Typ,
sehr ernst. Und dann waren da noch zwei Bilder
von ihrer Tochter als kleinem Mädchen.

Als sie zurückkam, sagte er: Ich gehe auch noch
mal ins Bad. Er benutzte die Toilette und wusch
sich sorgfältig die Hände, quetschte einen Klacks

ihrer Zahnpasta aus der Tube und putzte sich die Zähne, dann zog er sich aus und schlüpfte in seinen Pyjama. Er faltete seine Kleider zusammen, legte sie in einer Ecke hinter der Tür über die Schuhe und ging zurück ins Schlafzimmer. Sie trug jetzt ein Nachthemd und war schon im Bett. Die Nachttischlampe neben ihr brannte, die Deckenlampe war aus und das Fenster einen Spaltbreit geöffnet. Eine kühle, sanfte Brise strich herein. Er stand neben dem Bett. Sie schlug Laken und Decke zurück.

Willst du dich nicht hinlegen?

Ich überlege noch.

Dann kam er ins Bett, streckte sich auf seiner Seite aus und zog die Bettdecke hoch. Bislang hatte er noch kein Wort gesagt.

Was denkst du, fragte sie. Du bist so furchtbar still.

Wie seltsam das ist. Wie neu es sich anfühlt, hier zu sein. Wie unsicher ich mich fühle, und irgendwie auch nervös. Ich weiß nicht, was ich denke. Alles Mögliche.

Ja, es ist neu, sagte sie. Auf gute Art neu, würde ich sagen. Findest du nicht?

Doch.

Was machst du denn normalerweise vor dem Einschlafen?

Ach, ich sehe mir die Zehn-Uhr-Nachrichten an,

dann gehe ich ins Bett und lese, bis ich müde werde. Aber ich weiß nicht, ob ich heute Nacht schlafen kann. Ich bin zu aufgedreht.

Ich mache das Licht aus, sagte sie. Wir können uns ja trotzdem unterhalten. Sie drehte sich halb im Bett um, und er sah ihre nackten weichen Schultern und das helle Haar unter der Lampe.

Dann war es dunkel, nur das Licht von der Straße fiel schwach in den Raum. Sie sprachen über banale Dinge, wurden ein bisschen vertrauter miteinander, unterhielten sich über die üblichen alltäglichen Geschehnisse in der Stadt, die Gesundheit einer alten Dame namens Ruth, die zwischen ihren beiden Häusern wohnte, und das Pflaster in der Birch Street. Dann verstummten sie.

Nach einer Weile fragte er: Bist du noch wach?

Ja.

Du hast gefragt, was ich denke. Ein Gedanke war: Ich bin froh, dass ich Carl nicht so gut kannte.

Warum?

Dann würde ich mich hier nicht so wohl fühlen wie jetzt gerade.

Aber ich kannte Diane ganz gut.

Eine Stunde später schlief sie und atmete ruhig. Er war immer noch wach. Er betrachtete sie schon eine Weile. Im fahlen Licht konnte er ihr Gesicht erkennen. Sie hatten einander kein einziges Mal berührt. Um drei Uhr morgens stand er auf, ging ins Badezimmer und schloss das Fenster, als er zurückkehrte. Es war Wind aufgekommen.

Bei Tagesanbruch stand er auf, zog sich im Badezimmer an und sah noch einmal nach Addie Moore, die nach wie vor im Bett lag. Sie war jetzt wach. Bis später, sagte er.

Meldest du dich?

Ja.

Dann ging er hinaus auf den Bürgersteig und an den Nachbarhäusern vorbei nach Hause. Dort machte er sich Kaffee, aß Eier mit Toast und ging dann hinaus, um ein paar Stunden im Garten zu arbeiten, ehe er in die Küche zurückkehrte, früh zu Mittag aß und anschließend zwei Stunden tief und fest schlief.

4

Als er nachmittags aufwachte, war er krank. Er stand auf, trank ein Glas Wasser und fühlte sich fiebrig. Eine Weile dachte er nach und beschloss dann, sie anzurufen. Am Telefon sagte er: Ich bin gerade von einem Mittagsschlaf aufgewacht und fühle mich nicht gut, ich habe Magenschmerzen und auch irgendetwas im Rücken. Es tut mir leid. Aber heute Abend kann ich nicht kommen.

Verstehe, sagte sie und legte auf.

Er rief bei seinem Hausarzt in der Praxis an und vereinbarte einen Termin für den nächsten Morgen. Am Abend ging er früh zu Bett, die ganze Nacht hatte er Schweißausbrüche und konnte nicht schlafen. Am nächsten Morgen hatte er keinen Appetit auf Frühstück, ging um zehn zum Arzt, und der schickte ihn ins Krankenhaus, damit man ihm Blut und Urin abnahm. Dort wartete er in der Eingangshalle, bis das Labor die Tests ausgewertet hatte. Sie behielten ihn gleich da, die Diagnose lautete: Harnwegsinfektion.

Man gab ihm Antibiotika. Er schlief den größten Teil des Nachmittags und war dann wieder fast die ganze Nacht wach. Am nächsten Morgen ging es ihm besser, und man sagte ihm, dass er wahrscheinlich am nächsten Tag entlassen würde. Er frühstückte, aß zu Mittag und nickte dann ein. Als er gegen drei aufwachte, saß sie in einem Sessel neben seinem Bett. Er sah sie an.

Es war also kein Scherz, sagte sie.

Hast du das geglaubt?

Ich dachte, du schiebst das Unwohlsein nur vor, weil du doch nicht bei mir übernachten willst.

Das habe ich befürchtet.

Ich dachte, es geht wohl einfach nicht, sagte sie.

Ich habe gestern den ganzen Tag an dich gedacht und letzte Nacht und heute wieder, sagte er.

Was hast du gedacht?

Dass du meinen Anruf missverstehen könntest. Und wie ich dir klarmachen soll, dass ich weiterhin abends rüberkommen und mit dir zusammen sein will. Dass mich das mehr interessiert als vieles andere seit langer Zeit.

Warum hast du mich dann nicht angerufen und mir das gesagt?

Ich dachte, dass es alles noch schlimmer machen würde, dass es noch mehr so klänge, als würde ich das alles erfinden.

Ich wünschte, du hättest es versucht.

Hätte ich wohl tun sollen. Wie hast du herausgefunden, dass ich im Krankenhaus bin?

Ich habe heute Morgen mit Ruth von nebenan gesprochen, und sie sagte: Hast du das mit Louis gehört? Was denn, habe ich gefragt. Er ist im Krankenhaus. Was hat er denn? Irgendeine Infektion, heißt es. Da wusste ich Bescheid, antwortete sie.

Ich werde dich nicht belügen, sagte er.

Na gut. Keiner von uns wird den anderen belügen. Dann kommst du also wieder?

Sobald es mir bessergeht und ich sicher bin, das hier überstanden zu haben. Es ist schön, dich zu sehen, sagte er.

Danke. Du wirkst ziemlich mitgenommen.

Ich hatte noch keine Zeit, mich frischzumachen.

Sie lachte. Das ist mir egal, sagte sie. Das meinte ich nicht. Es war bloß ein Kommentar, eine Beobachtung.

Nun, dafür siehst du umso besser aus, sagte er.

Hast du deine Tochter angerufen?

Ich habe ihr gesagt, sie soll sich keine Sorgen machen, dass ich in ein oder zwei Tagen wieder draußen bin, kein Grund zur Beunruhigung. Dass sie sich deswegen nicht extra freinehmen muss. Ich brauche sie jetzt nicht hier. Sie wohnt in Colorado Springs.

Ich weiß.

Sie arbeitet als Lehrerin, so wie ich auch früher. Dann schwieg er kurz. Möchtest du etwas trinken? Ich kann die Schwester fragen.

Nein. Ich gehe jetzt nach Hause.

Ich rufe dich an, wenn ich wieder zu Hause bin und es mir bessergeht.

Gut, sagte sie. Ich habe schon Bier gekauft.

Sie ging, und er sah ihr nach, als sie das Zimmer verließ. Er lag im Bett und wartete darauf, dass er wieder einschlief, doch dann brachte man ihm das Abendbrot, und er sah sich beim Essen die Nachrichten an. Später schaltete er den Fernseher aus und blickte aus dem Fenster. Draußen, über der weiten Ebene westlich der Stadt, wurde es dunkel.

5

Am nächsten Nachmittag wurde er aus dem Krankenhaus entlassen. Doch es war wohl doch schlimmer gewesen, als die Ärzte angenommen hatten. Es dauerte fast eine Woche, bis er sich wieder erholt hatte und sich wohl genug fühlte, um sie zu fragen, ob er an diesem Abend vorbeikommen solle.

Warst du so lange krank?

Ja. Ich weiß auch nicht, warum es so lange gedauert hat.

Er duschte, rasierte sich, benutzte sein Aftershave, und am Abend nahm er die Papiertüte mit dem Pyjama und der Zahnbürste, ging vorn an den Häusern der Nachbarn vorbei und klopfte an ihre Tür.

Addie machte ihm sofort auf. Du siehst schon viel besser aus. Komm rein. Sie hatte sich das Haar aus dem Gesicht gebürstet; es stand ihr gut.

Wie beim ersten Mal setzten sie sich an den Küchentisch, tranken etwas und unterhielten sich eine

Weile. Dann sagte sie: Wir könnten uns jetzt hinlegen, was meinst du?

Ja.

Sie stellten die Gläser in die Spüle, und er folgte ihr nach oben. Er ging ins Badezimmer, zog den Pyjama an und legte seine zusammengefalteten Kleider in die Ecke. Als er ins Schlafzimmer kam, war sie schon im Nachthemd und saß aufrecht im Bett. Sie zog die Decke zurück, und er legte sich neben sie.

Du hast letztes Mal deinen Pyjama nicht hiergelassen. Deshalb dachte ich auch, dass du wahrscheinlich nicht wiederkommen würdest.

Ich fand, es hätte vermessen gewirkt. Als hielte ich es für selbstverständlich. Wir hatten uns ja noch nicht wirklich darüber unterhalten.

Nun, in Zukunft kannst du deinen Pyjama und die Zahnbürste hierlassen, sagte sie.

Das spart eine Menge Papiertüten, sagte er.

Ja. Genau. Gibt es irgendwas, worüber du sprechen möchtest?, fragte sie. Also, nichts Besonderes. Nur um mit dem Reden anzufangen.

Vor allem hätte ich eine Menge Fragen.

Ich habe auch ein paar, sagte sie. Fang du an.

Ich habe mich gefragt, warum ausgerechnet ich. Wir kennen uns doch kaum.

Glaubst du etwa, ich würde den Erstbesten nehmen? Dass ich bloß irgendjemanden brauche, der mich nachts warm hält? Irgendeinen alten Mann, mit dem ich reden kann?

Das habe ich nicht gedacht. Aber mir ist nicht klar, warum gerade ich.

Tut es dir leid?

Nein. Ganz und gar nicht. Ich bin bloß neugierig. Ich habe darüber nachgedacht.

Weil ich glaube, dass du ein guter Mann bist. Ein freundlicher Mann.

Das hoffe ich.

Ich glaube, es stimmt. Und ich habe immer gedacht, dass du jemand bist, den ich wirklich gernhaben und mit dem ich mich unterhalten könnte. Wie hast du denn an mich gedacht – wenn überhaupt?

Doch, ich habe an dich gedacht, sagte er.

Wie denn?

Wie an eine gutaussehende Frau. Jemand mit Substanz. Charakter.

Wie kommst du darauf?

Es ist die Art, wie du lebst, sagte er. Wie du dein Leben geregelt hast, nach Carls Tod. Das war eine schlimme Zeit für dich. Deswegen komme ich darauf. Ich weiß, wie es für mich war, als meine Frau starb, und ich habe gesehen, dass du es besser gemacht hast als ich. Das habe ich bewundert.

Du bist aber nie vorbeigekommen oder hast mich darauf angesprochen, wandte sie ein.

Ich wollte nicht aufdringlich sein.

Wärst du nicht gewesen. Ich war sehr einsam.

Das dachte ich mir. Trotzdem habe ich nichts unternommen.

Was möchtest du sonst noch wissen?

Wo du herkommst. Wo du aufgewachsen bist. Wie du als kleines Mädchen warst. Wie deine Eltern waren. Ob du Brüder oder Schwestern hast. Wie du Carl kennengelernt hast. Wie die Beziehung zu deinem Sohn ist. Warum ihr nach Holt gezogen seid. Wer deine Freunde sind. Woran du glaubst. Welche Partei du wählst.

Wir werden eine Menge Spaß haben beim Reden, meinst du nicht?, sagte sie. All das will ich auch über dich wissen.

Wir müssen ja nichts überstürzen, sagte er.

Nein, wir haben Zeit.

Sie drehte sich auf die Seite, um die Lampe auszuknipsen, und wieder sah er ihr helles Haar und ihre nackten Schultern im Licht. Dann tastete sie im Dunkeln nach seiner Hand, sagte gute Nacht und war bald darauf eingeschlafen. Es verblüffte ihn, wie schnell sie einschlafen konnte.

Am nächsten Tag arbeitete er vormittags im Garten, mähte den Rasen, machte nach dem Lunch ein Nickerchen und ging dann rüber zur Bäckerei, um mit einer Gruppe von Männern, die er alle zwei Wochen dort traf, Kaffee zu trinken. Einen davon konnte er nicht besonders gut leiden. Dieser Mann sagte zu ihm: Ich wünschte, ich hätte deine Energie.

Was meinst du?

Die ganze Nacht durchmachen und dann noch fit genug sein, um am nächsten Tag zu funktionieren.

Louis sah ihn eine ganze Weile an.

Weißt du, was man sich über dich erzählt, sagte er dann. Wie gut du etwas für dich behalten kannst. Bei dir geht es zu den Ohren rein und zum Mund wieder raus. Ich würde in einer so kleinen Stadt nicht gern als Lügner und Verdreher von Tatsachen gelten. Den Ruf wird man nämlich so schnell nicht mehr los.

Der Mann starrte Louis an. Dann schweifte sein Blick zu den anderen Männern am Tisch. Sie sahen überall hin, nur nicht zu ihm. Er stand auf und ging aus der Bäckerei raus, auf die Main Street.

Ich glaube, er hat vergessen, seinen Kaffee zu bezahlen, meinte einer der anderen Männer.

Ich kümmere mich darum, sagte Louis. Bis zum nächsten Mal, Kumpels. Er ging zum Tresen, zahlte den Kaffee des Mannes und seinen eigenen, verließ die Bäckerei und kehrte in die Cedar Street zurück.

Zu Hause hackte er eine Stunde lang die Erde im Garten auf, verbissen, fast brutal, machte sich dann einen Hamburger, trank ein Glas Milch dazu, duschte und rasierte sich. Als es dunkel wurde, ging er zu Addie.

Tagsüber hatte sie das ganze Haus gründlich geputzt, die Bettwäsche gewechselt und dann ein Sandwich zu Abend gegessen. Als das Tageslicht schwand, setzte sie sich ins Wohnzimmer, still, reglos, nachdenklich, und wartete, dass es dunkel wurde und Louis an die Tür klopfte.

Schließlich kam er, und sie machte ihm auf. Sie bemerkte sofort, dass irgendetwas anders war als sonst. Was ist los?, fragte sie.

Ich erzähl es dir gleich. Können wir erst etwas trinken?

Klar.

Sie gingen in die Küche, wo sie ihm eine Flasche Bier reichte und sich selbst ein Glas Wein einschenkte. Dann sah sie ihn an und wartete.

Wir sind kein Geheimnis mehr, sagte er. Falls wir je eins waren.

Woher weißt du das? Was ist passiert?

Du kennst doch Dorlan Becker?

Er hatte früher das Herrenbekleidungsgeschäft.

Ja. Er hat es verkauft und ist hiergeblieben. Jeder dachte, er würde wegziehen. Es schien ihm hier eigentlich nicht besonders zu gefallen. Die Winter verbringt er meistens in Arizona.

Was hat das mit unserem Geheimnis zu tun?

Er gehört zu der Runde, mit der ich mich zweimal im Monat in der Bäckerei treffe. Heute wollte er wissen, woher ich die Energie nehme, mich die ganze Nacht herumzutreiben und dann tagsüber alles zu erledigen wie immer.

Was hast du gesagt?

Ich habe ihm klargemacht, dass er dabei ist, sich einen Ruf als Tratschtante und Lügner zuzulegen. Ich war sauer. Ich habe mich provozieren lassen. Und jetzt bin ich immer noch sauer.

Das merkt man.

Ich hätte es einfach überhören, die Situation entschärfen sollen. Aber das habe ich nicht getan. Ich wollte nicht, dass sie schlecht über dich denken.

Ach, lass sie doch, Louis. Wir wussten von Anfang an, dass die Leute dahinterkommen würden. Wir hatten es doch besprochen.

Ja, aber ich habe in dem Moment nicht nachgedacht. Ich war nicht darauf vorbereitet. Ich wollte nicht, dass sie eine Geschichte über uns erfinden. Über dich.

Das rechne ich dir hoch an. Aber mich können

sie nicht verletzen. Ich werde unsere Nächte weiter genießen. So lange sie andauern.

Er warf ihr einen Blick zu. Warum sagst du das so? Du klingst wie ich neulich. Glaubst du nicht daran, dass sie andauern? Eine ganze Weile noch?

Ich hoffe es, sagte sie. Ich habe dir gesagt, dass es mir egal ist, was andere Leute denken oder glauben. Ich finde, das ist nicht die richtige Art zu leben. Jedenfalls nicht für mich.

Na gut. Ich wünschte, ich hätte deinen gesunden Menschenverstand. Du hast natürlich recht.

Hast du dich jetzt beruhigt?

So langsam.

Möchtest du noch ein Bier?

Nein. Aber wenn du noch ein Glas Wein nimmst, bleibe ich hier mit dir sitzen und sehe dir beim Trinken zu.

Ich bin in Lincoln, Nebraska, aufgewachsen, erzählte sie. Wir wohnten am Stadtrand, im Nordosten. Wir hatten ein hübsches einstöckiges Schindelhaus. Mein Vater war ein erfolgreicher Geschäftsmann, meine Mutter eine sehr gute Hausfrau und eine ausgezeichnete Köchin. Es war ein Viertel für die Mittelschicht, ein Arbeiterviertel. Ich hatte eine Schwester. Wir beide kamen nicht besonders gut miteinander aus. Sie war aktiver und extrovertierter als ich, hatte gern Menschen um sich, im Gegensatz zu mir. Ich war immer still, ein Bücherwurm. Nach der Highschool ging ich auf die Uni, ich wohnte nach wie vor zu Hause und fuhr mit dem Bus in die Innenstadt, wenn ich Vorlesungen hatte. Zuerst studierte ich Französisch, dann aber wechselte ich das Fach und ließ mich als Grundschullehrerin ausbilden.

Im zweiten Studienjahr lernte ich Carl kennen, und wir fingen an, miteinander auszugehen. Mit zwanzig war ich schwanger.

Hattest du Angst?

Nicht vor dem Baby. Nein. Auch nicht vor der Geburt. Aber ich wusste nicht, wie wir das schaffen sollten. Carl fehlten noch anderthalb Jahre bis zum Diplom.

Am Weihnachtsabend kam er zu uns – er lebte in Omaha –, und dann erzählten wir es nach dem Essen gemeinsam meinen Eltern, als wir alle zusammen im Wohnzimmer saßen. Meine Mutter brach sofort in Tränen aus. Mein Vater regte sich furchtbar auf. Ich hätte dich für vernünftiger gehalten. Er starrte Carl an. Was zum Teufel hast du dir dabei gedacht? Nichts hat er sich dabei gedacht, sagte ich. Es ist einfach passiert. Es ist garantiert nicht einfach passiert, Herrgott noch mal. Er hat nicht aufgepasst. Dazu gehören immer zwei, Daddy. Mein Gott, sagte er.

Im Januar heirateten wir und zogen in ein winziges, dunkles Apartment in der Innenstadt von Lincoln. Ich arbeitete vorübergehend als Verkäuferin in einem Warenhaus, und wir warteten. Das Baby kam in einer Nacht im Mai. Carl durfte nicht dabei sein. Dann nahmen wir unser Kind mit nach Hause und waren glücklich und sehr arm.

Haben eure Eltern euch nicht geholfen?

Kaum. Carl wollte keine Hilfe von ihnen annehmen. Na ja, und ich auch nicht.

Das war also eure Tochter. Ich dachte, sie wäre jünger gewesen.

Ja, das war Connie.

Ich erinnere mich nur vage an sie. Ich weiß noch, wie sie gestorben ist.

Ja. Addie sagte nichts mehr und bewegte sich ein wenig hin und her. Ich erzähle dir ein anderes Mal davon. Heute will ich nur noch sagen, dass wir beide nach Colorado wollten, als Carl endlich sein Diplom hatte. Wir hatten einmal ein paar Ferientage in Estes Park verbracht und mochten die Berge. Außerdem wollten wir weg von Lincoln und allem. Ein neues Leben anfangen. Carl fand einen Job als Versicherungsvertreter in Longmont, wo wir ein paar Jahre blieben, dann beschloss der alte Mr. Gorland hier in Holt, sich zur Ruhe zu setzen, und wir liehen uns Geld und zogen her. Carl übernahm die Versicherungsagentur und seine Kunden. Seitdem wohnen wir hier. Das war 1970.

Wie kam es, dass du schwanger wurdest?

Wie meinst du das? Wie wird man denn normalerweise schwanger?

Nun, wenn ich mich recht erinnere, waren wir damals immer sehr vorsichtig und nervös.

Aber wir waren auch jung. Carl und ich waren verliebt. Es ist immer dasselbe. Alles war neu und aufregend.

Ja, so war es wohl.

Sie ließ seine Hand los, rückte ein Stück von ihm weg und lag ganz still im Bett. Er drehte sich zu ihr um und betrachtete sie im schwachen Licht.

Warum reagierst du so?, fragte sie. Was ist los?

Weiß nicht.

Möchtest du die genauen Umstände wissen?

Ich glaube, ja.

Wie der Sex war?

Ich bin gerade einfach noch ein bisschen dämlicher als sonst. Irgendwie eifersüchtig und was weiß ich.

Auf einem Feldweg draußen auf dem Land. Auf dem Rücksitz im Dunkeln. Ist es das, was du wissen wolltest?

Ich wäre dir dankbar, wenn du mir sagen würdest, dass ich ein gottverdammter Esel bin, sagte Louis. Ein Mann, der dümmer ist, als die Polizei erlaubt.

Na schön. Du bist ein gottverdammter, dummer Esel.

Danke, sagte er.

Keine Ursache. Aber so könntest du alles verderben. Das ist dir wohl klar. Möchtest du noch mehr wissen?

Haben deine Eltern es je verwunden?

Es stellte sich heraus, dass sie Carl eigentlich sehr

mochten. Für meine Mutter war er immer schon der dunkelhaarige, gutaussehende Mann gewesen. Und mein Vater erkannte, dass Carl schwer schuftete und sich um uns kümmern würde. Was er dann auch tat. Es war nicht immer leicht. Aber nach den ersten sieben oder acht Jahren mussten wir uns finanziell keine großen Sorgen mehr machen. Carl war ein guter Familienvater.

Und irgendwann in dieser Zeit hast du noch einen kleinen Jungen bekommen.

Gene. Da war Connie sechs.

9

Addie parkte den Wagen in dem Seitenweg hinter dem Haus ihrer Nachbarin Ruth, stieg aus und ging auf die Hintertür zu. Die alte Dame saß in einem Lehnstuhl auf ihrer Veranda und wartete. Sie war zweiundachtzig. Als Addie kam, stand sie auf. Sie hielt sich an ihrem Arm fest, und zusammen stiegen die beiden Frauen langsam die Stufen herab und gingen zum Auto, wo Addie ihr beim Einsteigen half. Dann wartete sie, bis Ruth die dünnen Beine und die Füße nachgezogen hatte, schnallte den Sicherheitsgurt fest und schloss die Tür.

Sie fuhren zu einem Supermarkt neben dem Highway, am südöstlichen Ende der Stadt. Auf dem Parkplatz standen nur wenige Wagen; es war ein träger Sommervormittag. Sie gingen hinein. Ruth hielt sich an dem Einkaufswagen fest, während sie langsam durch die Gänge schlenderten. Sie schauten sich um und ließen sich Zeit. Ruth wollte oder brauchte nicht viel, nur ein paar Konserven und Vorräte, ein Brot und eine Tüte kleine, in Folie verpackte Hershey-Riegel. Willst du nichts?, fragte sie.

Nein, sagte Addie. Ich war erst vor kurzem einkaufen. Ich nehme nur eine Flasche Milch mit.

Ich sollte keine Schokolade essen, aber was spielt das jetzt noch für eine Rolle? Ich esse einfach, was ich will.

Ruth packte Suppen- und Eintopfdosen und Tiefkühlkost in ihren Wagen, dazu ein paar Müslipackungen, eine Literflasche Milch und Erdbeerkompott.

Ist das alles?

Ich glaube, ja.

Willst du nicht noch ein bisschen Obst?

Aber kein frisches. Das wird mir nur schlecht.

Sie gingen zu dem Regal mit eingemachtem Obst und packten noch ein paar Dosen Pfirsiche in Sirup und Birnen in den Wagen, dazu eine Schachtel Haferkekse mit Rosinen. An der Kasse sah die Verkäuferin zu der alten Dame auf und sagte: Haben Sie auch alles gefunden, Mrs. Joyce? Alles, was Sie haben wollten?

Einen guten Mann habe ich nicht gefunden. In den Regalen lag keiner. Nein, weit und breit kein guter Mann zu sehen.

Nein? Nun, manchmal sind sie ja näher, als man

denkt. Sie warf Addie, die neben Ruth stand, einen raschen Blick zu.

Wie viel macht es?, fragte Ruth.

Die Verkäuferin sagte es ihr.

Sie haben da einen Fleck auf Ihrer Bluse, sagte Ruth. Sie ist nicht sauber. So sollte man nicht zur Arbeit erscheinen.

Die Verkäuferin schaute an sich herab. Ich sehe nichts.

Er ist da.

Ruth nahm das Geld aus ihrem weichen alten Lederportemonnaie, zählte es langsam ab und legte die Scheine und Münzen dann säuberlich auf die Theke.

Sie kehrten zum Wagen zurück. Addie verstaute die Einkäufe auf dem Rücksitz und setzte sich ans Steuer.

Ruth blickte starr geradeaus zum Highway, auf dem Autos, Viehtransporter und Getreidelaster vorbeifuhren. Manchmal hasse ich diesen Ort, sagte sie. Manchmal wünsche ich mir, ich hätte ihn verlassen, als ich noch konnte. Was für kleinkarierte Kleinstadt-Trottel!

Du meinst die Verkäuferin.

Sie, ja, und alle anderen, die so sind wie sie.

Kennst du sie?

Sie ist eine von den Cox. Ihre Mutter war genauso. Glaubte, sie müsse ihre Nase überall reinstecken. Hatte dasselbe lose Mundwerk wie die hier. Am liebsten würde ich ihr eine kleben.

Dann weißt du also Bescheid über Louis und mich, sagte Addie.

Ich stehe jeden Morgen sehr früh auf. Ich kann nicht schlafen. Dann sitze ich vorn im Wohnzimmer und schaue mir an, wie die Sonne über den Dächern auf der anderen Straßenseite aufgeht. Und sehe, wie Louis in aller Herrgottsfrühe nach Hause geht.

Ich wusste, dass ihn früher oder später irgendjemand sehen würde. Es macht nichts.

Ich hoffe nur, dass ihr euren Spaß habt.

Er ist ein guter Mann. Meinst du nicht?

Ich glaube, ja. Aber noch ist nicht aller Tage Abend. Nach einer Pause setzte sie hinzu: Zu mir war er jedenfalls immer sehr nett. Er mäht meinen Rasen und schaufelt im Winter den Schnee aus meiner Einfahrt. Das hat er schon vor Dianes Tod gemacht. Aber ein Heiliger ist er auch nicht. Es gibt Leute, die seinetwegen gelitten haben. Ich könnte dir einiges erzählen. Seine Frau auch.

Ich glaube, das ist nicht nötig, sagte Addie.

Es ist ohnehin schon sehr lange her, sagte Ruth. Viele Jahre. Ich glaube, seine Frau war am Ende drüber weg. Das geht.

10

Erzähl mir von der anderen Frau, sagte Addie.

Wen meinst du?

Die, mit der du eine Affäre hattest.

Du weißt davon?

Jeder weiß davon.

Sie war verheiratet, sagte Louis. Tamara. So hieß sie. So heißt sie immer noch, wenn sie noch lebt. Ihr Mann arbeitete als Pfleger im Krankenhaus, meistens nachts. Damals war es noch sehr ungewöhnlich für einen Mann, Krankenpfleger zu sein. Die Leute wussten nicht, was sie davon halten sollten. Die beiden hatten eine kleine Tochter, sie war etwa vier, ein Jahr älter als Holly. Ein robustes, dünnes, blondes kleines Mädchen. Ihr Vater, Tamaras Mann, war ein großer stämmiger Kerl mit blondem Haar. Er war ein guter Typ, wirklich. Er wollte schreiben, Erzählungen. Wahrscheinlich schrieb er tatsächlich welche, nachts im Krankenhaus. Sie hatten schon vorher Probleme gehabt, sie hatte sich auf irgendeine Affäre eingelassen, als sie noch in

Ohio lebten. Sie war Lehrerin auf der Highschool, so wie ich. Ich war erst ein oder zwei Jahre da, als sie eingestellt wurde.

Was hat sie unterrichtet?

Englisch, genau wie ich. Die ersten beiden Klassen. Grundwissen.

Aber du hattest die höheren Klassen.

Ja. Ich war schon länger da. Sie war so unglücklich zu Hause, und Diane und ich hatten damals auch unsere Probleme.

Warum denn?

Hauptsächlich meinetwegen. Aber es lag auch an uns selbst. Wir konnten nicht miteinander reden. Wenn wir Streit hatten oder eine Auseinandersetzung, brach sie in Tränen aus und rannte aus dem Zimmer und führte nie zu Ende, worüber wir gesprochen oder gestritten hatten. Das machte es noch schlimmer.

Und dann hat einer von euch in der Schule eine Art Zeichen gegeben, irgendeine Geste, sagte Addie.

Ja. Sie legte mir die Hand auf den Arm, als wir einmal allein im Lehrerzimmer waren. Ob ich sie nicht etwas fragen wolle?, sagte sie. Was denn? Ob sie Lust hätte, mit mir auszugehen und etwas zu trinken, zum Beispiel. Ich weiß nicht, sagte ich. Möchtest du das? Was meinst du? Das war im

April, Mitte April. Ich hatte gerade die Steuern für das vergangene Jahr fertig, und am fünfzehnten, nach dem Abendessen, brachte ich den Umschlag mit den Formularen zur Post, um sie noch rechtzeitig abzuschicken, und fuhr an ihrem Haus vorbei. Ich sah, dass sie am Esstisch saß und Hefte korrigierte, daher parkte ich den Wagen etwas weiter an der Straße, stieg die Stufen zur Veranda hinauf und klopfte an die Tür. Sie machte mir auf, im Bademantel. Bist du allein?, fragte ich.

Pamela ist da, aber sie liegt schon im Bett. Komm doch rein.

Also trat ich ein.

So fing es an?

Ja, am Steuerstichtag. Klingt verrückt, nicht?

Ich weiß nicht. So etwas passiert auf alle möglichen Arten.

Du kennst dich also damit aus.

Ich weiß, dass Menschen solche Dinge passieren.

Erzählst du mir davon?

Vielleicht. Irgendwann. Was hast du dann gemacht?

Ich habe Diane und Holly verlassen und bin zu ihr gezogen. Ihr Mann kam bei einem Freund unter. Und, nun ja, ein paar Wochen ging alles gut. Sie war eine schöne, harte, wilde Frau, mit langem braunem Haar und braunen Augen, die im Bett irgendwie blickten wie die eines Tieres, und sie hatte wundervolle Haut, wie Seide. Ihr Körper war ziemlich schmal.

Du bist immer noch in sie verliebt.

Nein. Aber ich glaube, ich bin ein bisschen verliebt in die Erinnerung an sie. Natürlich ging die Sache nicht gut aus. Eines Abends kam ihr Mann vorbei, als wir gerade in der Küche beim Essen saßen. Tamara, ihre kleine Tochter und ich. Wir saßen am Tisch und unterhielten uns mit ihrem Mann, als wären wir alle furchtbar fortschrittlich und kultiviert, Leute, die eben mal so ihre Ehe zerstören und als freie Menschen mit ihrem Leben weitermachen. Aber ich konnte nicht mehr so weitermachen. Ich war mir selbst zuwider. Ihr Mann da am Tisch, und sie und das kleine Mädchen. Ich stand auf, verließ das Haus und fuhr hinaus aufs Land. Die Sterne funkelten, und die Lichter der Farmen und Gehöfte schimmerten blau im Dunkeln. Alles schien normal, bloß war gar nichts mehr normal, alles bewegte sich auf einen Abgrund zu. Erst spätabends kehrte ich zurück. Sie war schon im Bett und las. Ich kann das nicht, sagte ich.

Du willst gehen?

Ich muss. Was wir da tun, verletzt zu viele Menschen. Hat sie bereits verletzt. Ich bin hier und versuche, deiner Tochter ein Vater zu sein, während meine eigene Tochter ohne mich aufwächst. Nur schon ihretwegen muss ich zurück.

Wann gehst du?

Dieses Wochenende.

Dann komm jetzt ins Bett, sagte sie. Wir haben noch zwei Nächte.

Ich erinnere mich an diese Nächte. Wie es war.

Erzähl mir nichts davon. Ich will es nicht wissen.

Nein. Ich werde nicht darüber sprechen. Als ich ging, habe ich nur geweint. Sie auch.

Und dann?

Ich kehrte zu Diane und Holly zurück, zog wieder ein und schlief unten auf der Couch. Diane sagte nicht viel dazu. Sie war nie rachsüchtig oder gemein. Sie sah, dass ich durch die Hölle ging. Und ich glaube, sie wollte mich nicht verlieren, oder das Leben, das wir hatten.

Im Sommer kam einer meiner Studienfreunde aus Chicago zu Besuch und wollte fischen gehen, und so fuhr ich mit ihm nach White Forest oberhalb von Glenwood Springs, aber es gefiel ihm nicht, er war die Berge nicht gewohnt. Als ich ihn einen steilen Pfad zu einem Bach hinunterführte, bekam er Angst, dass wir uns verirrt hätten. Wir fingen ein paar große Fische, doch er konnte es nicht genießen. Also kehrten wir nach Holt zurück, wo Diane mich an der Tür empfing. Holly machte ihren Mittagsschlaf, und wir gingen direkt ins Bett. Es ergab sich wie von selbst, vielleicht war es das beste Mal überhaupt, purer Trieb, ohne nachzudenken, während mein Freund unten darauf wartete, mit uns zu Mittag zu essen. Und das war's.

Du hast Tamara nie wiedergesehen?

Nein. Aber sie kam nach Holt zurück. Sie war am Ende des Schuljahrs nach Texas gezogen und hatte dort einen Job angenommen. Dann kam sie noch einmal her und rief mich an. Diane ging ans Telefon. Sie sagte: Da will dich jemand sprechen. Wer ist es? Sie sagte nichts, reichte mir nur den Hörer.

Es war sie. Tamara. Ich bin in der Stadt. Wollen wir uns treffen?

Ich kann nicht. Nein. Ich kann das nicht.

Du willst mich also nicht wiedersehen?

Ich kann nicht.

Diane war in der Küche und hörte zu. Aber das war nicht der Grund. Ich hatte meinen Entschluss gefasst. Ich musste bei ihr und unserer Tochter bleiben.

Und dann?

Tamara ging nach Texas und trat ihre Stelle als Lehrerin an. Und Diane ließ mich bleiben.

Wo ist sie jetzt?

Ich weiß nicht, wo sie ist. Ihr Mann und sie haben

nie wieder zusammengefunden. Das kam also noch dazu. Ich denke nicht gern daran, welche Rolle ich dabei gespielt habe. Sie stammte aus dem Osten. Aus Massachusetts. Vielleicht ist sie dorthin zurückgegangen.

Du hast nie wieder mit ihr gesprochen?

Nein.

Ich glaube trotzdem, dass du noch in sie verliebt bist.

Ich bin nicht in sie verliebt.

Es hört sich aber so an.

Ich habe sie nicht gut behandelt.

Nein.

Das bereue ich.

Und was war mit Diane?

Sie hat hinterher nicht viel gesagt. Als es losging, war sie böse und verletzt. Am Anfang mehr als dann hinterher – mehr Tränen, meine ich. Ich bin sicher, dass sie sich zurückgewiesen und hintergangen fühlte. Sie hatte allen Grund dazu. Und unsere Tochter hat das von ihrer Mutter übernommen, so dass es jetzt vermutlich ein Teil ihrer Grundhaltung Männern gegenüber geworden ist – mich eingeschlossen. Sie meint, sie müsse sich auf eine bestimmte Art verhalten, um nicht verlassen zu werden. Aber ich glaube, ich bereue das, was ich Tamara angetan habe, mehr als das, was ich meiner

Frau angetan habe. Ich habe etwas an mir selbst versäumt oder so ähnlich. Ich bin dem Ruf nicht gefolgt, mehr zu sein als ein mittelmäßiger Highschool-Lehrer in einer staubigen kleinen Stadt.

Ich habe immer gehört, dass du ein guter Lehrer warst. Die Leute in der Stadt finden das alle. Für Gene warst du ein guter Lehrer.

Ein guter, vielleicht. Aber kein großartiger. Das ist mir bewusst.

11

Du hast gesagt, dass du dich daran erinnerst, sagte Addie.

Vage. Es war im Sommer, nicht?

Am siebzehnten August. Ein klarer, blauer, heißer Sommertag.

Sie spielten draußen im Vorgarten. Connie hatte den Rasensprenger angestellt – eines von diesen altmodischen Dingern, die kegelförmig Wasser versprühen –, damit sie hindurchlaufen konnten. Gene und sie. Damals war er fünf. Sie war elf, gerade noch jung genug, um mit ihm zu spielen. Sie hatten ihre Badeanzüge an und rannten hin und her, durch das Wasser, oder sie sprangen kreischend über den Sprenger hinweg, und dann griff sie nach Genes Hand und zog ihn auf dem Hosenboden mit oder hielt ihn in den Wasserstrahl. Ich beobachtete das alles. Irgendwann schraubte er den Sprenger von dem Schlauch ab und jagte sie über die Wiese, bespritzte sie mit Wasser, sie schrien und lachten, und ich kehrte in die Küche zurück, um nach dem

Abendessen zu sehen, die Suppe stand schon auf dem Herd, da hörte ich plötzlich quietschende Reifen und einen entsetzlichen Schrei. Ich lief zur Tür. Ein Mann stand neben seinem Wagen, und Gene schrie und heulte und blickte auf die Straße, vor den Wagen.

Ich rannte los. Connie war auf die Straße geschleudert worden, in ihrem Badeanzug lag sie da, sie blutete aus Mund und Nase und aus einem Schnitt auf der Stirn, die Beine waren irgendwie verdreht unter ihrem Körper, die Arme zu beiden Seiten in seltsamem Winkel ausgestreckt. Gene hörte nicht auf zu brüllen und zu schluchzen. Es war der schlimmste Ausdruck von Verzweiflung, den ich je gehört hatte.

Der Mann, der Autofahrer – inzwischen wohnt er nicht mehr hier –, sagte nur immer wieder: O Gott. O Gott. O Gott. O Gott.

Du musst nichts weiter sagen, meinte Louis. Du brauchst es mir nicht zu erzählen. Ich erinnere mich jetzt.

Nein. Ich will es erzählen. Irgendwer rief einen Krankenwagen. Ich habe nie erfahren, wer es war. Sie kamen und legten sie auf eine Bahre, und ich bin mit in den Krankenwagen geklettert. Gene brüllte immer noch. Ich habe gesagt, dass er mitkommen muss. Das wollten sie nicht, aber ich sagte, verdammt noch mal, er kommt mit. Und jetzt fahren Sie los.

Sie hatte eine entsetzliche Kopfwunde, die bereits anschwoll und dunkel war, Blut rann ihr aus den Ohren und dem Mund. Sie gaben mir Handtücher, um es abzuwischen. Ich hielt ihren blutenden Kopf auf dem Schoß, und so rasten wir los, mit dieser schrecklichen, heulenden Sirene, und als wir ankamen, schoben sie die Bahre vom Parkplatz durch den Hintereingang ins Krankenhaus. Da hinein, hier entlang, sagte die Krankenschwester, aber der Kleine sollte da nicht mit rein. Ich hole jemanden, der ihn ins Wartezimmer bringt. Gene fing wieder an zu schreien, die Empfangsdame nahm ihn mir ab, und wir liefen in die Notaufnahme. Sie legten sie auf eine Liege, und der Arzt kam. Da lebte sie noch. Aber sie war schon bewusstlos. Ihre Augen waren geschlossen, und sie hatte Schwierigkeiten beim Atmen. Einer der Arme war gebrochen und auch ein paar Rippen. Was sonst noch, wussten sie zu dem Zeitpunkt noch nicht. Ich bat sie, Carl im Büro anzurufen.

Ich blieb bei ihr. Nach einer Weile fuhr Carl mit Gene nach Hause und brachte ihn ins Bett, aber ich blieb bei ihr im Krankenhaus. Gegen vier Uhr morgens wachte sie für ein paar Minuten auf und starrte mich an. Ich weinte, und sie sah mich einfach an, ohne ein Wort. Dann machte sie noch ein paar Atemzüge, und das war's. Sie war tot. Ich hielt sie in den Armen und wiegte sie hin und her. Ich konnte gar nicht mehr aufhören zu weinen. Dann kam die Schwester. Ich bat sie, Carl anzurufen.

Der Rest des Tages ist ein einziges Durcheinander. Wir organisierten die Beerdigung, und am Abend gingen wir ins Bestattungsinstitut. Als sie einbalsamiert war, ließen wir Gene kommen, damit er sie noch einmal sehen konnte. Er rührte sie nicht an. Er hatte zu viel Angst.

Kein Wunder.

Ja. Sie hatten sie stark geschminkt, um die Blutergüsse zu überdecken, und auch den Schnitt auf der Stirn genäht; sie trug eins ihrer blauen Kleider. Zwei Tage später wurde sie beerdigt, ich meine, ihr Körper wurde beerdigt, draußen auf dem Friedhof. Manchmal habe ich das Gefühl, immer noch mit ihr sprechen zu können. Mit ihrem Geist. Oder ihrer Seele, wenn dir das lieber ist. Aber es scheint alles okay zu sein mit ihr. Einmal hat sie zu mir gesagt: Es geht mir gut. Mach dir keine Sorgen. Das würde ich gern glauben.

Klar, sagte Louis.

Carl wollte, dass wir in ein anderes Haus ziehen, aber ich habe mich geweigert – ich wollte hier nicht weg. Es war genau hier, vor dem Haus. Da ist sie gestorben, sagte ich. Dieser Ort ist mir heilig. So sind wir hiergeblieben. Vielleicht wäre es für Gene besser gewesen, wenn wir tatsächlich weggezogen wären.

Er ist nie darüber hinweggekommen.

Keiner von uns ist darüber hinweggekommen. Aber er war derjenige, der sie dazu gebracht hat, auf die Straße und vor das Auto zu laufen. Er war nur ein kleiner Junge, der seine Schwester mit einem Wasserschlauch jagte. Später kam deine Frau ein paarmal zu uns rüber, um nach mir zu sehen. Das war nett von ihr. Ich wusste es zu schätzen. Ich war ihr dankbar. Die meisten Leute wussten ja nicht, was sie sagen sollten.

Ich hätte mitkommen sollen.

Das wäre gut gewesen.

Unterlassungssünden, sagte Louis.

Du glaubst doch nicht an Sünden.

Wie gesagt, ich glaube, dass es Charakterschwächen gibt. Das sind auch Sünden.

Nun, jetzt bist du ja hier.

Da will ich jetzt auch sein.

12

Ich werde die nächsten paar Nächte nicht hier schlafen, sagte Louis.

Warum nicht?

Holly kommt zum Memorial Day übers Wochenende zu Besuch. Ich glaube, sie will mir die Leviten lesen.

Was soll das heißen?

Offenbar hat sie Wind von dir und mir bekommen. Wahrscheinlich wird sie verlangen, dass ich mich anständig benehme.

Und was sagst du dazu?

Zu meinem Benehmen? Ich benehme mich anständig. Ich tue, was ich will, und schade niemandem damit. Und ich hoffe, dass das für dich auch gut ist.

Aber ja.

Ich muss mir anhören, was sie zu sagen hat. Aber es wird nichts ändern. Ich werde genauso wenig tun, was sie will, wie sie das tut, was ich will, wenn es um die Kerle geht, mit denen sie ausgeht. Immer wieder fällt sie auf Typen rein, die nur jemanden brauchen, der sie aufpäppelt. Sie verlassen sich total auf sie. Ungefähr ein Jahr lang opfert sie sich für sie auf, und dann wird sie es leid oder es kommt zum Streit, und sie ist wieder eine Weile allein. Anschließend gabelt sie den Nächsten auf, um den sie sich kümmern kann. Im Moment ist sie mal wieder in einer Phase zwischen zwei Männern.

Rufst du mich an, wenn du wieder kommen kannst?

13

Am nächsten Tag kam Holly aus Colorado Springs nach Holt. Louis empfing sie an der Tür und begrüßte sie mit einem Kuss. Zum Abendessen setzten sie sich auf die Picknickbank im Garten. Anschließend wuschen sie zusammen das Geschirr ab und tranken noch ein Glas Wein im Wohnzimmer.

Ich überlege, im Sommer für ein paar Wochen nach Italien zu fliegen, erzählte sie. Nach Florenz. Zu einem Workshop in Drucktechnik.

Mach das doch. Klingt gut.

Ich habe den Flug schon gebucht. Und sie haben mich für den Workshop angenommen.

Prima! Brauchst du finanzielle Unterstützung?

Nein, Daddy. Ich komme zurecht. Sie betrachtete ihn einen Moment. Aber ich mache mir Sorgen um dich.

Tatsächlich?

Ja. Was ist das für eine Geschichte mit Addie Moore?

Ich genieße mein Leben.

Was würde Mom dazu sagen?

Keine Ahnung, aber ich glaube, deine Mutter würde es verstehen. Sie hatte eine große Fähigkeit, zu verzeihen und zu verstehen, mehr als die meisten Leute ahnten. Sie war weise, in vielerlei Hinsicht, und sah die Dinge in einem größeren Zusammenhang als andere.

Aber Daddy, das gehört sich nicht. Ich wusste nicht einmal, dass du Addie Moore magst. Oder sie so gut kennst.

Richtig, bis vor kurzem kannte ich sie auch kaum. Aber gerade deswegen geht es mir so gut. Jemanden neu kennenzulernen, in meinem Alter. Und zu merken, dass man den anderen mag, dass man noch nicht völlig ausgetrocknet ist.

Es ist nur … irgendwie peinlich.

Für wen? Für mich nicht.

Aber die Leute kriegen es mit.

Natürlich kriegen sie es mit. Und ich pfeife drauf. Wer hat es dir erzählt? Vermutlich eine von deinen verklemmten Freundinnen hier in der Stadt.

Linda Rogers.

Typisch.

Nun, sie dachte, ich sollte Bescheid wissen.

Jetzt weißt du Bescheid. Und willst bestimmt, dass ich damit aufhöre, richtig? Was würde das bringen? Die Leute würden trotzdem wissen, dass wir etwas miteinander hatten.

Aber es wäre etwas anderes, als es jeden Tag vor ihrer Nase zu haben.

Du machst dir zu viele Gedanken um die Leute in der Stadt.

Irgendwer muss es ja tun.

Ich nicht mehr. Das habe ich jedenfalls gelernt.

Von ihr?

Ja. Von ihr.

Ich hätte sie nie für so progressiv oder leichtfertig gehalten.

Du hast keine Ahnung. Das hat nichts mit leichtfertig zu tun.

Womit denn sonst?

Mit so etwas wie der Entscheidung, frei zu sein. Selbst in unserem Alter.

Du führst dich auf wie ein Teenager.

Ich habe mich als Teenager nie so aufgeführt. Nie etwas gewagt. Ich habe getan, was von mir erwartet wurde. Du selbst warst genauso, wenn du mir diese Bemerkung gestattest. Ich wünschte, du würdest jemand finden, der Pep hat, Energie. Jemand, der dich nach Italien begleitet oder samstagmorgens aufsteht und mit dir in die Berge fährt, zum Wandern, obwohl es schneit, und abends total begeistert wieder nach Hause kommt.

Ich hasse es, wenn du so redest. Lass mich in Ruhe, Daddy. Ich lebe mein eigenes Leben.

Das gilt für uns beide. Könnten wir nicht einen Pakt schließen? Eine Art Friedensvertrag?

Ich finde immer noch, dass du darüber nachdenken solltest.

Habe ich schon, und es gefällt mir.

Verdammt, Daddy.

Am nächsten Tag bekam Holly einen Anruf. Sie berichtete Louis davon.

Es war Julie Newcomb. Genau wie Linda Rogers musste sie mir unbedingt von dir erzählen. Ich sagte, ich wüsste es schon. Aber ich bin froh, dass du angerufen hast, sagte ich noch. Ich habe neulich erst an dich gedacht. Ich war in einem Restaurant und hatte Lamm bestellt. Da habe ich mich gefragt, ob dein Mann es immer noch mit Schafen treibt. Du Schlampe, sagte sie, ich wollte dir nur einen Gefallen tun. Dann hat sie aufgelegt.

Das war aber extrem schlagfertig von dir.

Ach, ich konnte sie noch nie leiden. Trotzdem finde ich es peinlich.

Tja, mein Schatz, aber das ist dein Problem, nicht meins. Mir ist es überhaupt nicht peinlich. Und Addie Moore auch nicht.

14

Am Ende lernte ich einiges an ihr zu bewundern, sagte Louis. Sie war ein guter Mensch, mit einer festen inneren Haltung. Sie tat nicht das, was andere von ihr erwarteten. Obwohl wir anfangs ziemlich arm waren, wollte sie keinen Beruf ergreifen. Sie hatte eigene Vorstellungen. Sie wollte ihre Unabhängigkeit. Allerdings weiß ich nicht, ob es sie wirklich glücklich gemacht hat. Heute spricht man vom Leben als einer Reise, man könnte sagen, dass es das war, was sie tat. Sie hatte eine ganze Reihe von Freundinnen hier. Sie trafen sich immer abwechselnd bei einer von ihnen und diskutierten über ihr Leben und was Frauen so wollen. Sie erzählte von uns, da bin ich ziemlich sicher. Die Frauenbewegung kam damals gerade auf. Aber wir hatten auch andere Probleme. Und ich fand es irgendwie interessant, dass ich mich abends um Holly kümmern musste, während ihre Mutter irgendwo mit ihren Freundinnen zusammensaß und sich über mich beklagte. Es kam mir ein bisschen paradox vor. Und dann gab es noch die Zeit mit Tamara.

Hattest du nicht gesagt, dass sie dir das verziehen hat?, fragte Addie.

Ich glaube, das hat sie tatsächlich. Und dass sie mich damals zurückhaben wollte. Bestimmt war das auch Thema bei ihren Diskussionen. Ich spürte, dass ihre Freundinnen mich plötzlich mit anderen Augen betrachteten. Aber sie liebte Holly. Von Anfang an. Sie waren einander sehr nahe. Diane vertraute ihr schon in jungen Jahren alles an. Ich fand das nicht richtig, so mit ihr zu sprechen, ihr immer alles zu erzählen. Aber sie tat es trotzdem. Auf diese Weise band sie Holly eng an sich.

Du hast nie erzählt, wie ihr euch kennengelernt habt.

Oh. Nun ja, so ähnlich wie Carl und du. Wir haben beide in Fort Collins studiert. Nach unseren Examen heirateten wir. Sie war eine schöne junge Frau. Wir hatten keine Ahnung, wie man ein Zuhause einrichtet oder einen Haushalt führt. Als junges Ding hatte sie nie kochen gelernt oder bei der Hausarbeit geholfen, ihre Mutter hatte sich um alles gekümmert. Ich bin hier in Holt aufgewachsen.

Ja, ich weiß.

Nach dem Examen hab ich ein paar Jahre als

Lehrer in einer kleinen Schule in Front Range gearbeitet, und als auf der Highschool in Holt eine Stelle frei wurde, habe ich mich beworben und wurde angenommen. So kam ich wieder nach Hause und bin dann nie mehr weggegangen. Siebenundvierzig Jahre ist das jetzt her. Wir haben Holly bekommen, und wie gesagt, auch als Holly in die Schule kam und es möglich gewesen wäre, hat Diane nicht gearbeitet.

Ich hatte eigentlich auch keinen Beruf.

Du hast gearbeitet. Das weiß ich.

Aber ich hatte keinen Beruf, so wie du. Ich war etwa ein Jahr Sekretärin und Empfangsdame in Carls Büro, aber in der Zeit sind wir uns gegenseitig auf die Nerven gegangen, weil wir den ganzen Tag zusammen waren und dann abends auch noch. Es war einfach zu viel. Deshalb habe ich dann eine Weile als Angestellte in einer Bank gearbeitet und später in der Stadtverwaltung. Bestimmt weißt du das auch. Es war die längste Anstellung, die ich je hatte. Dort habe ich alle möglichen Dinge gesehen und gehört. Wozu Menschen fähig sind. Welche Probleme sie sich aufhalsen. Es war langweilig und ermüdend, bis auf die Geschichten, die man über die Leute erfuhr.

Tja, Diane ist jedenfalls sie selbst geblieben, sagte Louis. Bis zuletzt. Wie gesagt, heute weiß ich das zu schätzen. Damals fiel es mir nicht leicht. Aber wir waren ja auch völlig ahnungslos mit Mitte zwanzig, als wir frisch verheiratet waren. Es war alles nur Instinkt. Und die Verhaltensmuster, mit denen wir aufgewachsen waren.

15

In einer Juninacht sagte Louis plötzlich: Ich hatte heute eine Idee. Willst du sie hören?

Klar.

Nun, ich habe dir doch neulich von Dorlan Becker erzählt, der in der Bäckerei eine Bemerkung über uns gemacht hat, und von Hollys Freundinnen, die bei ihr angerufen haben.

Ja, und ich dir von dem Supermarkteinkauf mit Ruth. Was die Verkäuferin zu ihr gesagt und wie Ruth reagiert hat.

Hier ist meine Idee, um aus der Not eine Tugend zu machen. Wir könnten einfach am helllichten Tag zusammen in die Stadt gehen und im Holt Café zu Mittag essen. Anschließend bummeln wir noch ein bisschen die Main Street entlang und amüsieren uns.

Wann denn?

Am kommenden Samstag, um die Mittagszeit, wenn im Café am meisten los ist.

Okay. Ich bin dabei.

Ich hole dich ab.

Vielleicht ziehe ich sogar irgendwas Buntes oder Auffallendes an.

Das ist genau die richtige Einstellung, meinte Louis. Und ich könnte mein rotes Hemd tragen.

Am Samstag um kurz vor zwölf holte er sie ab, und sie kam in einem gelben, rückenfreien Sommerkleid aus dem Haus. Er trug ein rot und grün gemustertes, kurzärmliges Cowboyhemd. Sie folgten der Cedar Street bis zur Main Street und gingen dann den Bürgersteig entlang, vier Blocks weit, an den Geschäften auf dieser Straßenseite vorbei, an der Bank und dem Schuster, dem Juweliergeschäft, der Kaufhalle und all den falschen altmodischen Ladenfassaden. In der hellen Mittagssonne standen sie an der Ecke Second Street und Main Street und warteten, bis die Ampel umsprang. Sie sahen den Leuten, die ihnen begegneten, geradewegs ins Gesicht, grüßten sie oder nickten ihnen zu. Addie hatte sich bei Louis eingehakt. Schließlich überquerten sie die Straße zum Holt Café, wo er ihr die Tür aufhielt und den Vortritt ließ. Einen Augenblick mussten sie warten, bis man sich um sie kümmerte. Die anderen Gäste starrten sie an. Etwa die Hälfte von ihnen kannte sie oder wusste zumindest, wer sie waren.

Dann kam die Kellnerin und fragte: Sie sind zu zweit?

Ja, sagte Louis. Wir hätten gern einen der Tische in der Mitte.

Sie folgten ihr zu einem Tisch. Louis rückte den Stuhl für Addie zurecht und setzte sich dann, nicht gegenüber, sondern dicht neben sie. Die Kellnerin nahm ihre Bestellung auf. Louis hielt Addies Hand auf dem Tisch und sah sich im Raum um. Dann kam das Essen, und sie griffen nach dem Besteck.

Bislang scheint es ja nicht gerade für Aufruhr zu sorgen, sagte Louis.

Nein. In der Öffentlichkeit sind die Leute höflich. Niemand will einen Skandal lostreten. Außerdem glaube ich, dass wir ohnehin überreagieren. Die Leute haben anderes im Kopf, als sich über uns aufzuregen.

Noch ehe sie aufgegessen hatten, waren drei Frauen, einzeln und unabhängig voneinander, auf dem Weg nach draußen an ihrem Tisch stehen geblieben und hatten sie begrüßt.

Die letzte sagte: Ich hab von euch beiden schon gehört.

Was hast du denn gehört?, fragte Addie.

Ach, dass ihr oft zusammen seid. Ich wünschte, ich könnte das auch.

Warum nicht?

Ich kenne doch niemanden. Außerdem hätte ich zu viel Schiss.

Du könntest dich selbst überraschen.

Ach, nein. Das brächte ich nicht fertig. Nicht in meinem Alter.

Sie aßen langsam und bestellten dann noch Nachtisch. Sie hatten keine Eile. Anschließend standen sie auf und traten wieder hinaus in die Main Street. Zurück gingen sie auf der anderen Straßenseite, vorbei an den Geschäften und an den Leuten, die durch die offenen Türen hinaussahen – offen in der Hoffnung auf die geringste, allerleichteste Brise. Nach drei Blocks hatten sie die Cedar Street erreicht.

Kommst du noch mit rein?, fragte Addie.

Nein. Aber warte heute Abend auf mich.

16

Addie Moore hatte einen Enkel namens Jamie, knapp sechs Jahre alt. Im Frühsommer wurden die Spannungen zwischen seinen Eltern immer schlimmer. Es kam zu Auseinandersetzungen in der Küche und im Schlafzimmer, sie warfen sich gegenseitig Beschuldigungen und Vorwürfe an den Kopf, sie weinte, und er brüllte. Schließlich trennten sie sich auf Probe. Sie fuhr nach Kalifornien, zu einer Freundin, und ließ Jamie bei seinem Vater zurück. Der rief Addie an und erzählte ihr, was passiert war: dass seine Frau ihren Job als Friseurin gekündigt und an die Westküste gezogen war.

Was ist los?, fragte Addie. Worum geht es denn eigentlich?

Wir kommen einfach nicht aus miteinander. Sie ist nie bereit, Kompromisse einzugehen.

Seit wann ist sie weg?

Seit zwei Tagen. Ich weiß nicht, was ich machen soll.

Und Jamie?

Deshalb rufe ich an. Könnte ich ihn für eine Weile zu dir bringen?

Wann kommt Beverly zurück?

Ich weiß nicht mal, ob sie überhaupt zurückkommt.

Sie wird doch ihren Sohn nicht einfach verlassen, oder?

Mom! Ich weiß es nicht, ich kann dir nicht sagen, was sie tun wird. Und da ist noch was. Mir bleibt nur noch bis Ende des Monats. Dann muss ich den Laden dichtmachen.

Warum? Was ist passiert?

Die Wirtschaftslage ist schuld, Mom, nicht ich. Kein Mensch will heutzutage neue Möbel kaufen. Du musst mir helfen.

Wann willst du ihn herbringen?

Am Wochenende. Bis dahin komme ich zurecht.

Na schön. Aber du weißt, wie schlimm so etwas für kleine Kinder ist.

Was soll ich denn machen?

Als Louis an diesem Abend zu ihr kam, erzählte sie ihm von den neuen Entwicklungen.

Das ist dann wohl das Ende für uns, sagte er.

Oh, das würde ich nicht sagen, gab Addie zurück. Warten wir doch ein, zwei Tage ab, bis er sich ein wenig eingelebt hat, okay? Und dann kommst du erst tagsüber vorbei, um ihn kennenzulernen, und später auch abends. Wir können wenigstens mal ausprobieren, wie es läuft. Ich würde ohnehin deine Hilfe brauchen. Falls du dazu bereit bist.

Es ist schon lange her, dass ich kleine Kinder um mich hatte, sagte Louis.

Ich auch, sagte sie.

Was ist denn los mit seinen Eltern? Was haben sie für Probleme?

Er will immer alles unter Kontrolle haben, ist zu fürsorglich, und sie hat die Nase voll davon. Sie ist sauer und möchte auch mal etwas allein unternehmen. Es ist immer dasselbe. Gene sieht das natürlich anders.

Wahrscheinlich haben seine Probleme teilweise auch damit zu tun, was seiner Schwester passiert ist.

Das glaube ich auch. Über Beverly kann ich nicht viel sagen. Ich bin ihr nie sehr nahe gewesen. Ich glaube, sie will es auch nicht. Und da ist noch etwas. Er verliert sein Geschäft. Er hatte diese Idee, unbehandelte Möbel anzubieten, die Leute billig kaufen und dann selbst lackieren können. Ich fand die Idee nie besonders gut. Möglicherweise muss er Bankrott anmelden. Das hat er mir heute Morgen gesagt. Ich muss ihm helfen, bis er etwas Neues gefunden hat. Es ist nicht das erste Mal. Ich habe ihm schon mal geholfen und werde es auch diesmal wieder tun.

Was will er denn machen?

Er hatte immer irgendwas mit Vertrieb zu tun.

Das scheint mir nicht das Richtige für ihn zu sein, so wie ich ihn in Erinnerung habe.

Nein. Er ist kein Verkäufertyp. Ich glaube, er hat jetzt Angst. Das gibt er allerdings nicht zu.

Aber es könnte doch eine Chance für ihn sein, etwas zu verändern. Das Muster zu durchbrechen. Wie seine Mutter. Du hast es getan.

Er wird es nicht tun. Er hat sein Leben bis ins kleinste Detail geregelt. Jetzt braucht er Hilfe, und das geht ihm bestimmt gegen den Strich. Er ist jähzornig, das zeigt sich in solchen Zeiten. Er hat nie gelernt, mit Menschen umzugehen, und es macht ihm zu schaffen, dass er mich um Hilfe bitten muss.

Am Sonntagvormittag brachte Gene den Jungen zu Addie und blieb zum Mittagessen. Dann trug er den Koffer und die Spielzeuge ins Haus und umarmte den Jungen zum Abschied. Jamie weinte, als sein Vater zum Auto ging. Addie schloss ihn in die Arme, er versuchte, sich von ihr loszureißen, doch sie hielt ihn fest und ließ ihn schluchzen. Als der Wagen verschwunden war, überredete sie ihn, mit ihr ins Haus zurückzugehen. Sie brachte ihn dazu, ihr beim Backen zu helfen, gemeinsam rührten sie den Teig für die Cupcakes an, füllten die Papierförmchen und schoben sie in den Ofen. Später glasierten sie die Kuchen, und der Junge aß einen und trank ein Glas Milch dazu.

Ich habe einen Nachbarn, dem ich ein paar davon bringen möchte. Willst du zwei aussuchen, und wir machen einen kleinen Besuch bei ihm?

Wo wohnt er?

Einen Block weiter.

Welche soll ich nehmen?

Welche du willst.

Er entschied sich für die beiden, die am wenigsten Glasur hatten. Addie packte sie in einen Plastikbehälter, und dann gingen sie zusammen zu Louis' Haus und klopften an die Tür. Als er aufmachte, sagte Addie: Das ist mein Enkel, Jamie Moore. Wir haben dir etwas mitgebracht.

Wollt ihr nicht reinkommen?

Aber nur kurz.

Sie setzten sich vorne auf die Veranda und sahen auf die Straße, die stillen Häuser auf der anderen Seite, die Bäume und die wenigen Autos, die vorbeifuhren. Louis fragte Jamie nach der Schule, doch er wollte nicht reden, und nach einer Weile ging Addie mit ihm nach Hause. Sie machte Abendbrot, und hinterher spielte er mit seinem Handy. Dann ging sie mit ihm nach oben und sagte: Das war das Zimmer von deinem Daddy, als er noch ein kleiner Junge war. Sie half ihm, seine Kleider in den Schrank zu räumen, und er ging ins Bad und putzte sich die Zähne. Als er wiederkam und ins Bett kletterte, las sie ihm noch eine Weile vor und knipste dann das Licht aus. Sie gab ihm einen Kuss und sagte: Ich bin gleich da drüben, wenn du etwas brauchst.

Lässt du das Licht an?

Ich mache die Nachttischlampe an.

Und lass die Tür offen, Grandma.

Du brauchst keine Angst zu haben, mein Schatz. Ich bin da.

Sie ging in ihr Zimmer, machte sich fertig für die Nacht und warf einen letzten Blick in sein Zimmer. Er war noch wach und starrte zur Türöffnung.

Alles okay?

Er spielte schon wieder mit seinem Handy.

Ich glaube, du solltest das jetzt lieber weglegen und einschlafen.

Noch eine Minute.

Nein. Ich möchte, dass du es jetzt weglegst. Sie trat an sein Bett, nahm ihm das Telefon ab und legte es auf den Nachttisch. Schlaf jetzt, mein Schatz. Mach die Augen zu. Sie setzte sich auf die Bettkante, streichelte ihm über Stirn und Wangen und blieb lange so sitzen.

In der Nacht wurde sie wach, als er in ihr Zimmer kam. Er weinte, und sie holte ihn zu sich ins Bett und hielt ihn fest, bis er wieder einschlief. Am Morgen lag er immer noch neben ihr in dem großen Bett.

Sie gab ihm einen Kuss. Ich gehe jetzt ins Bad und bin gleich wieder da. Als sie herauskam, stand er im Flur vor der Badezimmertür. Hab keine Angst, mein Schatz, sagte sie. Ich gehe nicht weg. Ich bin da. Ich lasse dich nicht allein.

17

Die zweite Nacht verlief fast genauso wie die erste. Nach dem Abendessen kramte sie ein Kartenspiel hervor und brachte ihm am Küchentisch ein Spiel bei. Dann gingen sie nach oben, wo der Junge sich auszog. Sie setzte sich in einen Sessel neben das Bett, nahm ihm das Handy weg und las ihm eine Stunde vor, bevor sie ihm einen Gutenachtkuss gab, das Licht auf dem Nachttisch brennen und die Tür offen ließ. Sie ging in ihr Zimmer und las eine Weile. Irgendwann stand sie noch einmal auf und sah nach ihm. Er schlief, das Handy lag noch auf dem Nachttisch. Nachts kam er wieder weinend in das dunkle Zimmer, sie nahm ihn zu sich ins Bett, und als sie am Morgen erwachte, schlief er noch. Nach dem Frühstück gingen sie nach draußen. Sie zeigte ihm den Garten, erklärte ihm die Blumenbeete, wie die Bäume und Büsche hießen, und ging dann mit ihm in die Garage, wo ihr Wagen stand, um ihm die Werkzeugbank zu zeigen, an der Carl früher Sachen repariert hatte, und die Werkzeuge, die an einer Hartfaserplatte darüber hingen. Der Junge wirkte nicht sonderlich interessiert.

Dann kam Louis vorbei. Ich wollte fragen, ob du Lust hast, mit deiner Großmutter zu mir zu kommen, sagte er. Ich will dir etwas zeigen.

Im Garten gab es ein Nest frisch geborener Mäuse, das er am Morgen in der Ecke seines Werkzeugschuppens entdeckt hatte. Die Babys waren rosa und noch blind, sie krabbelten alle durcheinander und fiepten leise. Der Junge hatte ein bisschen Angst vor ihnen.

Sie tun dir nichts, sagte Louis. Sie können niemandem etwas tun. Es sind Babys. Sie werden gesäugt. Sie hat sie noch nicht entwöhnt. Weißt du, was das heißt?

Nein.

Es bedeutet, dass sie aufhört, ihnen Milch zu geben, und sie lernen müssen, andere Sachen zu fressen.

Was denn?

Samenkörner und anderes Futter, das sie findet. Wir können sie jeden Tag angucken und sehen, wie sie sich verändern. Aber jetzt machen wir lieber den Deckel wieder zu, damit es ihnen nicht zu kalt wird oder sie Angst bekommen. Das war für die bestimmt genug Aufregung für einen Tag.

Sie gingen aus dem Schuppen. Addie fragte: Brauchst du heute Hilfe im Garten?

Ich kann hier immer jemand brauchen, der mit anpackt.

Vielleicht könnte Jamie dir helfen.

Nun, fragen wir ihn doch einfach. Hättest du Lust, mir ein bisschen zu helfen?

Bei was denn?

Unkraut jäten und wässern.

Darf ich, Grandma?

Ja. Bleib hier bei Louis. Er bringt dich nach Hause, wenn ihr fertig seid. Dann essen wir alle zusammen zu Mittag.

Der Junge hatte noch nie im Leben Unkraut gejätet. Louis musste ihm zeigen, was er in den Beeten stehen lassen sollte und was nicht. Sie jäteten eine Weile, aber Jamie wirkte lustlos, so dass Louis den Schlauch herausholte, die Düse auf niedrig einstellte und ihm zeigte, wie man die Pflanzen – Karotten, Rote Bete und Radieschen – von unten wässert, ohne dabei die Wurzeln bloßzulegen. Das gefiel ihm schon besser. Am Ende drehten sie den Hahn wieder zu und gingen hinüber zu Addies Haus. Dort wuschen sie sich in der Gästetoilette neben dem Esszimmer die Hände. Sie hatte Sandwiches auf den Tisch gestellt, die sie mit Kartoffelchips und Limonade verputzten.

Darf ich jetzt mit meinem Handy spielen?

Ja. Und dann sollten wir uns ein bisschen ausruhen.

Der Junge ging nach oben in sein Zimmer und legte sich mit dem Handy auf sein Bett.

Louis sagte: Ich komme heute Abend lieber noch nicht.

Ja, vielleicht ist es morgen besser. Heute Vormittag lief es doch ganz gut, oder?

Den Eindruck hatte ich auch. Aber ich weiß nicht, was in dem Kleinen vorgeht. Es muss schwer für ihn sein, so weit weg von zu Hause.

Mal schauen, wie es morgen ist.

Als Jamie am Abend eine Weile wachgelegen hatte, kletterte er aus dem Bett, nahm sein Handy und rief seine Mutter in Kalifornien an. Sie ging nicht dran. Er hinterließ eine Nachricht. Mom, wo bist du? Wann kommst du wieder? Ich bin bei Grandma. Ich möchte zu dir kommen. Ruf mich an, Mom.

Er drückte die Beenden-Taste und rief seinen Vater an. Gene nahm ab, als der Junge schon dabei war, eine Nachricht zu hinterlassen.

Jamie, bist du das?

Wann holst du mich wieder ab, Dad?

Warum? Was ist denn los?

Ich möchte lieber bei dir sein.

Du musst ein Weilchen bei Grandma bleiben. Ich bin den ganzen Tag nicht zu Hause. Du erinnerst dich doch, wir haben darüber gesprochen.

Ich will aber nach Hause.

Das geht jetzt nicht. Später, wenn die Schule wieder anfängt.

Das ist zu lange.

Es wird besser werden. Hast du denn keinen Spaß gehabt? Was hast du heute gemacht?

Nichts.

Ihr habt gar nichts gemacht?

Wir haben uns Mäusebabys angeguckt.

Wo?

Bei Louis zu Hause.

Louis Waters. Warst du bei ihm?

In seinem Schuppen. Es sind Babys. Sie haben die Augen noch zu.

Rühr sie bloß nicht an.

Hab ich nicht.

War Grandma dabei?

Ja. Und dann haben wir Lunch gegessen.

Klingt doch gut.

Aber ich will zu dir.

Ich weiß. Es ist nicht für lange.

Mom ist nicht ans Telefon gegangen.

Du hast sie angerufen?

Ja.

Wann?

Gerade eben.

Es ist schon spät. Wahrscheinlich schläft sie.

Aber du bist drangegangen.

Ich war auch schon halb eingeschlafen. Ich bin wach geworden, weil das Telefon klingelte.

Vielleicht war Mom mit irgendwem unterwegs.

Vielleicht. Aber jetzt musst du dein Handy ausmachen und schlafen. Ich rufe dich bald wieder an.

Morgen.

Ja, morgen. Gute Nacht.

Er drückte die Beenden-Taste und legte das Handy auf den Nachttisch, wo Addie es immer hinlegte. Doch später wachte er voller Angst auf und lief weinend in ihr Zimmer.

18

Den Rest der Nacht schlief er wieder bei Addie. Am Morgen frühstückten sie zusammen, dann ging er allein zu Louis' Haus und klopfte an die Haustür.

Da bist du ja wieder, sagte Louis. Wo ist deine Großmutter?

Sie hat gesagt, ich soll dich besuchen. Und dass du zum Lunch mit rüberkommen sollst.

Okay. Was möchtest du machen?

Darf ich die Mäuse angucken?

Warte, ich will nur das Geschirr noch abräumen und meinen Hut holen. Du brauchst auch einen. Die Sonne ist viel zu stark da draußen. Hast du keine Schirmmütze?

Ich hab sie zu Hause vergessen.

Dann müssen wir dir eine besorgen.

Sie gingen zum Schuppen im Garten, Louis nahm den Deckel von der Schachtel, und die Mutter flitzte über die Seite davon. Die rosa Babys krabbelten alle durcheinander und fiepten. Der

Junge beugte sich vor und betrachtete sie. Darf ich sie anfassen?

Noch nicht, sie sind noch zu klein. In einer Woche ungefähr.

Eine Weile beobachteten sie die Mäuse. Eine kroch bis zum Rand der Schachtel und hob ihr blindes Gesicht zu ihnen empor.

Was macht sie?

Ich weiß nicht. Schnüffeln vielleicht. Sie kann noch nichts sehen. Es ist besser, wenn ich den Deckel jetzt wieder zumache.

Darf ich sie morgen wieder angucken?

Ja, aber nur, wenn ich dabei bin.

Auch an diesem Morgen arbeiteten sie im Garten, jäteten Unkraut und wässerten die Rote Bete und die Wurzeln der Tomaten. Mittags gingen sie zum Lunch rüber zu Addie. Als der Junge sich nach oben verdrückte, um mit seinem Handy zu spielen, sagte Addie: Ich glaube, heute Abend könntest du kommen.

Ist das nicht zu früh?

Nein, er mag dich.

Er ist nicht gerade gesprächig.

Aber ich sehe, wie er dich beobachtet. Er sucht deine Anerkennung.

Ich meine nur, es muss gerade alles ziemlich schwierig für ihn sein.

Bestimmt. Aber du hilfst ihm. Dafür bin ich dir dankbar.

Es macht mir Spaß.

Also kommst du heute Abend?

Wir könnten es versuchen.

So kam Louis bei Einbruch der Dunkelheit wieder, und sie empfing ihn an der Tür. Er ist oben, sagte sie. Ich habe ihm gesagt, dass du kommst.

Wie hat er es aufgenommen?

Er wollte wissen, wann. Und warum.

Louis lachte. Da hätte ich gern Mäuschen gespielt. Was hast du gesagt?

Dass du ein guter Freund bist und wir uns manchmal abends treffen und gemeinsam im Bett liegen und uns was erzählen.

Nun, das war nicht gelogen, sagte Louis.

In der Küche trank er seine Flasche Bier und Addie ihr Glas Wein. Dann gingen beide nach oben zum Zimmer des Jungen. Er spielte mit seinem Handy, Addie legte es auf den Nachttisch und las ihm vor, Louis saß dabei im Sessel und hörte ebenfalls zu. Später ließen sie das Licht brennen und die Tür offen und gingen hinüber in Addies Schlafzimmer. Louis zog im Badezimmer seinen Pyjama an und kam ins Bett. Sie redeten eine Weile, hielten sich an der Hand und schliefen ein. In der Nacht schreckten sie hoch, weil der Junge schrie, und liefen in sein Zimmer. Er war verschwitzt und weinte, in seinen Augen spiegelte sich Verzweiflung.

Was ist los, mein Schatz? Hast du schlecht geträumt?

Er hörte nicht auf zu schluchzen, bis Louis ihn hochhob und in das andere Zimmer trug, wo er ihn in die Mitte des großen Betts legte.

Alles in Ordnung, Kleiner, sagte Louis. Wir sind bei dir. Du kannst eine Weile bei uns schlafen. So hast du einen von uns auf jeder Seite. Er warf Addie einen Blick zu. Wir sind eine kleine Gruppe, und du bist in der Mitte.

Er legte sich neben ihn. Addie verließ das Zimmer.

Wo geht Grandma hin?

Sie kommt gleich wieder. Sie muss nur zur Toilette.

Als Addie wiederkam, legte sie sich auf die andere Seite. Ich möchte jetzt das Licht ausmachen, sagte sie. Aber wir sind alle hier bei dir.

Louis nahm die Hand des Jungen und hielt sie fest. So lagen sie zu dritt im Dunkeln.

Wie schön es im Dunkeln ist, sagte Louis. So gemütlich und warm. Nichts, was einen bedrückt, nichts, wovor man Angst haben muss. Dann fing er an, leise zu singen. Er hatte eine schöne Tenorstimme. *Someone's in the Kitchen with Dinah* sang er, und *Down in the Alley*. Der Junge beruhigte sich und schlief ein.

Ich habe dich noch nie singen hören, sagte Addie.

Früher habe ich Holly immer vorgesungen.

Das hast du für mich noch nie gemacht.

Ich wollte dich nicht erschrecken. Vielleicht hättest du mich weggeschickt.

Das war schön, sagte sie. Manchmal bist du ein wirklich netter Mann.

Ich fürchte, wir werden die ganze Nacht so getrennt liegen.

Dann schicke ich dir ein paar warme Gedanken.

Aber keine zu anzüglichen. Sie könnten meinen Schlaf stören.

Das weiß man nie.

19

An einem Sommerabend fuhr Louis mit Addie, Jamie und Ruth raus zum Shattuck's Café auf dem Highway, um Hamburger zu essen. Die alte Dame hatte den Platz vorn neben Louis, Addie und der Junge saßen auf dem Rücksitz. Die Kellnerin, ein junges Ding, nahm ihre Bestellung entgegen und kam mit den Getränken, Servietten und Hamburgern zurück. Sie aßen im Wagen. Hinter ihnen war der Highway, und zu sehen gab es nicht viel, nur den Hinterhof eines kleinen grauen Hauses am anderen Ende des Grundstücks. Als sie fertig waren, sagte Louis: Am besten bestellen wir uns noch ein paar Root Beer Floats zum Mitnehmen.

Wo willst du denn noch hin?, fragte Ruth.

Ich dachte, wir könnten uns ein Softballspiel ansehen.

Ach, das habe ich sicher dreißig Jahre nicht mehr gemacht, sagte sie.

Dann wird es aber Zeit, gab Louis zurück. Er

bestellte vier Floats und fuhr dann zum Baseball-
stadion hinter der Highschool, wo er unter dem
hellen Flutlicht vor dem Outfield-Zaun parkte, mit
Blick auf die Home Plate.

Jamie und ich gehen mal raus und schauen uns
das Spiel von der Zuschauertribüne aus an.

Dann setze ich mich solange nach vorn zu Ruth,
sagte Addie. Wir können uns unterhalten und
trotzdem zuschauen.

Louis und der Junge nahmen ihre Floats mit und
gingen, vor den anderen Wagen, am Maschendraht-
zaun entlang, bis sie hinter der Home Plate auf die
Holztribüne klettern konnten. Einige Zuschauer
grüßten Louis und fragten, wer der Junge sei. Das
ist Addie Moores Enkel, erklärte er ihnen. Wir
freunden uns gerade an. Sie setzten sich hinter ein
paar Jugendliche aus der Highschool. Die Frauen-
mannschaft, in roten Hemden und weißen Shorts,
spielte gerade ein Team aus der Nachbarstadt an die
Wand. Sie sahen hübsch aus unter den grellen Lich-
tern auf dem grünen Rasen. Ihre Arme und Beine
waren gebräunt. Die heimische Mannschaft lag mit
vier Punkten vorn. Der Junge schien keine Ahnung
vom Spiel zu haben, deshalb erklärte Louis ihm so
viel, wie er seiner Meinung nach aufnehmen konnte.

Spielst du denn nie Softball?, fragte Louis.

Nein.

Hast du einen Handschuh?

Weiß ich nicht.

Weißt du, was ein Softball-Handschuh ist?

Nein.

Siehst du, was die Mädchen da anhaben? Das sind Softball-Handschuhe.

Sie sahen eine Weile zu. Die Heimmannschaft erzielte drei weitere Punkte, die Leute auf den Tribünen schrien und jubelten. Louis rief einer der Spielerinnen etwas zu, und sie sah zur Tribüne auf und winkte.

Wer ist das?

Eine meiner ehemaligen Schülerinnen. Dee Roberts, ein kluges Mädchen.

Draußen im Wagen hatten Addie und Ruth die Fenster geöffnet. Musst du nicht mal wieder zum Supermarkt?, sagte Addie.

Nein, ich brauche nichts.

Sag mir einfach Bescheid, wenn.

Mach ich doch immer.

Das glaube ich nicht.

Ich esse einfach nicht mehr so viel. Aber ich habe auch keinen Hunger, deshalb macht es nichts.

Sie sahen sich das Spiel an, und jedes Mal, wenn die Heimmannschaft einen Punkt machte, drückte Addie auf die Hupe.

Ich weiß, dass Louis immer noch zu dir kommt, sagte Ruth. Ich sehe ihn morgens, wenn er nach Hause geht.

Wir haben beschlossen, dass es okay ist, selbst wenn Jamie da ist.

Ja. Kinder sind sehr anpassungsfähig und akzeptieren fast alles, solange man es richtig anstellt.

Ich glaube nicht, dass wir ihm schaden. Wir machen nichts, falls es das ist, was du meinst.

Nein, das meinte ich nicht.

Wir machen sowieso nichts. Auch vorher nicht.

Dann wird es aber allmählich Zeit. Du willst doch nicht erst so alt werden wie ich.

Louis und Jamie kletterten wieder von der Tribüne herunter und warfen die Pappbecher in den Mülleimer, bevor sie zum Wagen zurückgingen. Addie setzte sich nach hinten, und sie fuhren zur Cedar Street. Dort brachte Louis Ruth bis an ihre Haustür und ging dann noch kurz nach Hause. Als er zu Addie kam, schlief Jamie schon in der Mitte des großen Betts.

Danke für den schönen Abend, sagte Addie.

Wusstest du, dass er noch nie Baseball gespielt hat?

Nein. Aber sein Vater ist auch nicht besonders sportlich.

Ich finde, jeder Junge sollte die Gelegenheit haben, Baseball zu spielen.

Ich bin müde, sagte sie, ich gehe jetzt ins Bett. Du kannst mir dort weiter davon erzählen, im Dunkeln. Ich bin ganz erschlagen. So viel Aufregung an einem Abend.

20

Am nächsten Tag ging Louis mit Jamie in das alte Haushaltswarengeschäft in der Main Street und kaufte ihm einen Lederhandschuh, außerdem einen für sich und einen für Addie, drei harte Gummibälle und einen kleinen Baseballschläger. Am Tresen fragte er Jamie, welche von den Schirmmützen im Regal er haben wolle, und der Junge entschied sich für eine violett-schwarze. Als der bucklige kleine Mann an der Kasse sie seiner Kopfgröße angepasst hatte, zog der Junge sie tief in die Stirn und sah mit ernster Miene zu ihnen auf.

Sieht okay aus, sagte Louis.

Die Mütze schützt dich vor der grellen Sonne da draußen, sagte der kleine Mann. Rudy hieß er, Louis kannte ihn seit vielen Jahren. Es war ein Wunder, dass er immer noch arbeitete, besser gesagt ein Wunder, dass er noch lebte. Sein Kollege, ein hochgewachsener Mann namens Bob, war schon vor Jahren gestorben. Und die Frau, der das

Geschäft gehörte, war nach dem Tod ihrer Mutter nach Denver zurückgezogen.

Sie gingen wieder nach Hause. Dort zeigte Louis ihm, wie man den Handschuh richtig hält, um den Ball zu fangen, und dann spielten sie im Schatten zwischen den Häusern von Addie und Ruth. Zuerst war der Junge ungeschickt, doch nach einer Weile ging es schon besser, und dann wollte er auch den Schläger ausprobieren. Am Ende traf er tatsächlich den Ball, und Louis lobte ihn. Sie übten noch ein bisschen Schlagen, dann wechselten sie wieder zum Fangen, und der Junge wurde immer besser.

Addie kam aus dem Haus und sah ihnen zu. Könnt ihr jetzt eine Pause machen?, fragte sie. Unser Lunch ist fertig. Was hast du da? Einen Baseballhandschuh?

Und diese neue Mütze hier.

Ja, das sehe ich. Hast du dich bei Louis bedankt?

Nein.

Das solltest du aber, meinst du nicht?

Danke, Louis.

Gern geschehen.

Wir haben auch für dich einen Handschuh gekauft, sagte Jamie.

Ach, ich weiß nicht, wie das geht.

Du musst es lernen, Grandma. Hab ich auch gemacht.

Als Jamie am Abend zwischen ihnen eingeschlafen war, sagte Louis: Der Kleine braucht einen Hund.

Wie kommst du darauf?

Er braucht einen Spielgefährten außer seinem Handy und zwei alten Leutchen, die um ihn herumtapern.

Vielen Dank, sagte Addie.

Ich meine es ernst, er braucht einen Hund. Wie wär's, wenn wir morgen nach Phillips fahren und uns im Tierheim umsehen?

Ich will keinen Hund im Haus haben. Ich habe keine Energie mehr für junge Hunde.

Nein, einen ausgewachsenen Hund. Einer, der schon stubenrein ist. Einen netten, kleinen, erwachsenen Hund.

Ich weiß nicht. Ich glaube, das wäre mir zu anstrengend.

Dann behalte ich ihn bei mir. Jamie kann rüberkommen und mit ihm spielen.

Willst du denn wirklich die ganze Zeit einen Hund um dich haben? Du erstaunst mich.

Es macht mir nichts aus. Es ist viel zu lange her, dass ich einen Hund hatte.

Tja, das musst du selbst wissen. Ich jedenfalls wäre nicht auf die Idee gekommen.

Nach dem Frühstück verließen sie Holt in nördlicher Richtung über den schmalen asphaltierten Highway, vorbei an bewässerten Maisfeldern und Trockenfeldern mit Weizen. In Red Willow bogen sie nach Westen ab, fuhren an der Dorfschule des nächsten Countys vorbei und dann wieder Richtung Norden ins Platte River Valley, bis sie die Stadt Phillips erreichten. Das Tierheim lag in einem Viertel am Stadtrand. Sie erzählten der Frau am Empfang, dass sie einen ausgewachsenen, älteren Hund suchten.

Nun, davon haben wir mehr als genug, sagte sie. Haben Sie irgendeine genauere Vorstellung?

Nein. Es soll nur einer sein, der nicht allzu wild oder verrückt ist und nicht den ganzen Tag winselt oder bellt.

Sie suchen einen, mit dem der Junge spielen kann. Nun, dann wollen wir mal sehen, was wir haben.

Sie stand schwerfällig auf und führte sie durch das Büro in den hinteren Teil des Heims. Als sie die Tür öffnete, veranstalteten die Hunde in den Käfigen und Gehegen einen derartigen Lärm, dass man sein eigenes Wort nicht mehr verstand. Sie traten ein und schlossen die Tür hinter sich. Auf beiden Seiten des Mittelgangs gab es Käfige, und in jedem waren ein oder zwei Hunde. Ein übler Gestank erfüllte den Raum. Die Käfige hatten Betonböden und waren mit Wasserschalen und Fetzen von alten Teppichen oder Läufern ausgestattet, auf denen die Hunde liegen konnten.

Schauen Sie sich in Ruhe um, ich lasse Sie jetzt allein. Wenn Sie einen ausprobieren wollen, sagen Sie mir Bescheid.

Können wir einfach mit einem rausgehen?

Ja, aber dazu brauchen Sie eine Leine. Hier an der Tür hängt eine.

Die Frau ging wieder an ihren Schreibtisch, und sie sahen in jeden Käfig. Es gab Hunde aller Rassen und Farben. Der Junge fürchtete sich vor dem lauten Gebell und wich nicht von Louis' Seite. Am Ende des Ganges machten sie kehrt und sahen sich die Hunde noch einmal an.

Hast du einen gesehen, der dir gefällt?

Ich weiß nicht.

Wie wäre es mit der hier?, sagte Addie. Es war eine Hündin, ein schwarz-weiß gemusterter Border-Collie-Mischling, und sie hatte etwas an der rechten Vorderpfote, eine Art Verband oder Plastikschlauch. Sie macht einen netten Eindruck, sagte Addie.

Was hat sie am Fuß?, fragte Jamie.

Keine Ahnung. Wir können fragen. Es scheint etwas zu sein, das die Pfote schützen soll.

Louis steckte die Finger durch den Maschendraht, und die Hündin beschnüffelte sie und leckte an ihnen. Holen wir sie mal raus. Er öffnete den Käfig und nahm sie an die Leine, wobei er gleichzeitig den anderen Hund daran hinderte, zu entwischen. Dann führte er sie problemlos hinaus, und sie gingen ins Büro zurück.

Sie sind also fündig geworden, sagte die Frau.

Vielleicht, sagte Louis. Wir würden sie gern mal mit nach draußen nehmen, um zu sehen, wie sie sich ohne die anderen Hunde verhält.

Aber bleiben Sie in der Nähe des Parkplatzes.

Sie gingen hinaus, vorbei an den geparkten Wagen, bis zum Streifen mit Erde und Unkraut am Parkplatzrand. Der Hund hockte sich sofort hin. Braves Tier, sagte Louis. Sie hat gewartet, bis wir draußen sind und lockeren Boden erreicht haben. Willst du sie mal nehmen, Jamie?

Zuerst sollten wir sie streicheln, meinte Addie.

Alle drei bückten sich zu der Hündin hinab, und sie setzte sich hin. Der Junge tätschelte ihr den Kopf, und sie sah zu ihm auf.

Möchtest du es jetzt mal versuchen? Ich bleibe gleich neben dir.

Glaubst du, dass alles in Ordnung ist mit ihr? Was hat sie bloß am Bein?

Wir fragen die Frau da drin. Sie humpelt ein bisschen beim Laufen, aber es sieht nicht so aus, als ob sie große Schmerzen hätte.

Jamie nahm die Leine, und die Hündin stand auf und ging dicht neben ihm her. Louis, der Junge und die Hündin machten eine Runde um die Wagen auf dem Parkplatz. Willst du es jetzt auch mal allein versuchen?, fragte Louis. Jamie machte noch eine kleine Runde mit ihr. Man konnte sehen, dass er sie mochte. Dann gingen sie zurück in das Büro. Die Hündin humpelte, sie stützte sich vorwiegend auf die rechte Vorderpfote. Die Frau erzählte ihnen, dass ihr im Winter eine Pfote erfroren war, weil man sie die ganze Nacht draußen gelassen hatte, angekettet auf einem betonierten Hinterhof. Der Tierarzt hatte die Zehen an dieser Pfote amputieren müssen. Sie trug jetzt eine weiße Plastiksocke darüber, die mit Klettstreifen befestigt war. Im Haus und tagsüber konnte man sie abnehmen; man musste sie ihr nur anziehen, wenn sie rausging. Die Frau zeigte ihnen, wie man die Socke an- und auszog.

Wie alt ist sie?, fragte Louis.

Ungefähr fünf, schätze ich.

Ich glaube, wir versuchen es mit ihr, sagte Louis. Wenn es nicht klappt, können wir sie ja zurückbringen.

Gut, aber uns ist es wichtig, dass die Leute ein

bisschen Geduld haben und nicht allzu schnell aufgeben.

Keine Sorge. Ich will nur wissen, ob wir sie notfalls wieder zurückbringen können.

Ja, das können Sie.

Louis bezahlte die Gebühr und steckte die Papiere und den Impfschein ein, bevor sie wieder zum Wagen gingen. Jamie setzte sich nach hinten, und Louis hob die Hündin auf den Sitz neben ihn, dann fuhr er aus dem Städtchen hinaus und auf den Highway, heimwärts. Nach einer Weile legte die Hündin den Kopf auf das Bein des Jungen und schloss die Augen. Er streichelte sie. Kurz darauf machte Addie Louis ein Zeichen, und er verstellte den Rückspiegel, so dass er sie sehen konnte. Beide schliefen tief und fest. In Holt setzte Louis erst Addie ab und half dann Jamie dabei, in seiner Küche ein Hundebett herzurichten. Möchtest du ihr das Haus zeigen?, schlug er vor.

Ich war doch selbst noch nie in den anderen Zimmern, antwortete Jamie.

Stimmt.

So führte Louis die beiden durchs Haus. An der Treppe sprang das Tier vor ihnen her, auf drei Pfoten, die verletzte Pfote blieb in der Luft. Dann kehrten sie in die Küche zurück. Mal sehen, ob deine Großmutter etwas zum Mittagessen für uns hat.

Und was machen wir mit ihr?

Ich glaube, wir nehmen sie lieber mit. Sie ist ja ganz fremd hier. Wir wollen sie noch nicht allein lassen.

Der Junge nahm die Leine, und sie gingen über die Straße und durch den Seitenweg zu Addies Haus, wo sie klopften und eintraten.

Addie war in der Küche und fragte: Habt ihr euch schon einen Namen überlegt? Hat die Frau im Tierheim sie nicht irgendwie genannt?

Tippy, sagte Louis. Aber das gefällt mir nicht.

Wie wär's mit Bonny?, sagte der Junge.

Wo kommt der Name her?

Von einem Mädchen in meiner Klasse.

Magst du sie?

Irgendwie schon.

Na schön. Dann heißt sie jetzt Bonny.

Ich finde, das passt zu ihr, sagte Addie.

Als es Zeit fürs Abendessen bei Addie war, ließen Jamie und Louis Bonny auf ihrer Decke in Louis' Küche zurück. Hinterher gingen sie alle drei wieder zu Louis, um nach ihr zu schauen. Sie winselte und jaulte. Man hörte es schon von weitem.

Bring sie doch vorläufig einfach mit zu mir, sagte Addie. Ich glaube, das können wir Ruth und den anderen Nachbarn nicht zumuten.

Und dann?

Dann sehen wir weiter. Also nahmen sie Bonny mit zu Addie. Addie legte ihr einen alten Läufer hin, sie machte es sich darauf bequem und sah sie an, einen nach dem anderen. Dann ging der Junge mit ihr nach oben und spielte mit seinem Handy. Als Addie und Louis später nachkamen, erklärten sie ihm, dass Bonny in der Küche schlafen müsse. Doch kaum hatten sie sie nach unten gebracht, fing sie wieder an zu jaulen, bis Addie sagte: Na schön, da kann man nichts machen, ich weiß schon, was du willst.

Nun, wir wollen uns das doch nicht die ganze Nacht anhören, oder?, sagte Louis.

Ich hab's doch schon gesagt, da kann man nichts machen.

Er brachte Bonny hoch in das vordere Zimmer. Jamie beugte sich seitwärts aus dem Bett, streckte den Arm nach ihr aus und streichelte sie.

Ich habe eine Idee, sagte Louis. Wie wär's, wenn du in dein Zimmer gehst und Bonny mitnimmst? Du kannst sie bei dir behalten.

Ich weiß nicht.

Sie bleibt bei dir, in deinem Zimmer. Dann bist du nicht allein.

Als der Junge unter die Decke schlüpfte, sprang Bonny sofort auf sein Bett.

Ist das okay?

Versuchen wir es mal so. Es sei denn, deine Großmutter sagt nein.

Aber lass trotzdem das Licht an.

Mach ich.

Und die Tür offen.

Jetzt versuch zu schlafen. Bonny passt auf dich auf.

Dann ging Louis zurück zu Addie und legte sich neben sie.

Sag mir eins, begann sie.

Was?

War das die ganze Zeit dein Plan?

Ich wünschte, ich wäre so schlau, sagte Louis. Zumindest können wir uns jetzt wieder ausstrecken, ohne dass uns die Füße des Kleinen in die Quere kommen.

Addie schaltete die Nachttischlampe aus.

Wo ist deine Hand?

Gleich hier neben dir, wie immer.

Sie nahm seine Hand. Jetzt können wir wieder reden, sagte sie.

Worüber willst du denn reden?

Ich würde gern wissen, was du denkst.

Worüber?

Darüber, hier zu sein. Wie es sich inzwischen anfühlt. Über Nacht hierzubleiben, meine ich.

Mittlerweile halte ich es ganz gut aus, sagte er. Es fühlt sich normal an.

Normal?

Ich will dich nur auf den Arm nehmen.

Das weiß ich. Sag mir die Wahrheit.

Die Wahrheit ist: Es gefällt mir. Es gefällt mir sehr. Ich würde es vermissen, wenn ich es nicht mehr hätte. Und du?

Ich finde es wundervoll, sagte sie. Es ist besser, als ich es mir erhofft hatte. Es ist so etwas wie ein Geheimnis. Mir gefällt die Freundschaft. Die Zeit, die wir miteinander verbringen. Hier im Dunkel der Nacht zu liegen. Das Reden. Dich neben mir atmen zu hören, wenn ich wach werde.

Das alles gefällt mir auch.

Dann rede mit mir, sagte sie.

Möchtest du etwas Besonderes hören?

Etwas von dir.

Wirst du das nicht langsam leid?

Noch nicht. Aber wenn, sage ich dir Bescheid.

Lass mich kurz nachdenken. Dir ist klar, dass Bonny auf seinem Bett liegt?

Das habe ich nicht anders erwartet.

Sie wird die Bettwäsche schmutzig machen.

Die kann man waschen. Jetzt rede mit mir. Erzähl mir was, das ich noch nicht weiß.

21

Ich wollte Dichter werden. Niemand außer Diane hat je davon erfahren. Ich studierte Literatur auf dem College und machte gleichzeitig mein Staatsexamen. Aber ich war verrückt nach Gedichten. Wir lasen die ganzen üblichen Dichter: T. S. Eliot. Dylan Thomas. e. e. cummings. Robert Frost. Walt Whitman. Emily Dickinson. Vereinzelte Gedichte von Housman, Matthew Arnold und John Donne. Shakespeares Sonette. Browning. Tennyson. Einige habe ich auswendig gelernt.

Weißt du sie noch?

Er zitierte den Anfang von *J. Alfred Prufrocks Liebesgesang*, ein paar Zeilen aus *Fern Hill* und aus *Und dem Tod soll kein Reich mehr bleiben*.

Was ist passiert?

Du meinst, warum ich das nicht weiterverfolgt habe?

Es scheint dich heute noch zu interessieren.

Das stimmt. Aber nicht mehr so wie früher. Ich fing an zu unterrichten, dann kam Holly, und ich hatte keine Zeit mehr. In den Sommerferien arbeitete ich ebenfalls, ich strich Häuser an. Wir brauchten das Geld. Zumindest glaubten wir das.

Ich erinnere mich daran, dass du Häuser angestrichen hast. Zusammen mit ein paar von deinen Kollegen.

Diane wollte nicht arbeiten, und ich selbst fand es auch wichtig für Holly, dass jemand zu Hause war und sich um sie kümmerte. So schrieb ich nur abends hin und wieder und vielleicht mal am Wochenende. Ein paar Gedichte wurden von Zeitschriften und Vierteljahresschriften angenommen, doch das meiste, was ich einreichte, wurde abgelehnt und kommentarlos an mich zurückgeschickt. Wenn mir ein Lektor überhaupt ein Wort oder einen Satz dazu schrieb, nahm ich es als Ermunterung und zehrte monatelang davon. Im Rückblick ist es kein Wunder. Die Gedichte waren schrecklich. Epigonal. Unnötig kompliziert. Ich erinnere mich an ein Gedicht mit einem Vers, in dem von irisblau die Rede war, was ja in Ordnung wäre, aber ich zerteilte den Ausdruck in i von ris-blau.

Was sollte das bedeuten?

Keine Ahnung! Und wen interessiert es schon? Dieses Gedicht, es war ein ganz frühes, habe ich einem meiner Professoren an der Uni gezeigt. Er überflog es, sah mich eine Weile an und sagte dann:

Tja, sehr interessant. Weiter so. Ach, in Wirklichkeit war es grässlich.

Vielleicht wärst du besser geworden, wenn du drangeblieben wärst.

Vielleicht. Aber es hat nicht geklappt. Ich hatte einfach kein Talent. Und Diane gefiel es ohnehin nicht.

Warum nicht?

Keine Ahnung. Vielleicht empfand sie es als eine Art Bedrohung. Ich glaube, dass sie eifersüchtig war, weil es mir so wichtig war und Zeit beanspruchte, die ich allein und ohne sie verbrachte.

Sie hat dich also nicht unterstützt.

Sie selbst hatte nichts, was sie gern getan hätte. Außer sich um Holly zu kümmern. Und später wurde sie in ihren Gefühlen und Ansichten von der Frauengruppe bestätigt, mit der sie sich immer traf. Ich habe dir davon erzählt.

Ach, ich wünschte, du würdest wieder damit anfangen.

Ich glaube, dafür ist es jetzt zu spät. Jetzt habe ich dich. Und das mit uns ist mir sehr, sehr wichtig, weißt du. Aber was ist mit dir? Du hast nie davon gesprochen, was du machen wolltest.

Ich wollte Lehrerin werden. Ich hatte an der Universität von Lincoln angefangen, aber dann wurde ich schwanger mit Connie und brach das

Studium ab. Später habe ich einen Schnellkurs in Buchhaltung gemacht, damit ich Carl helfen konnte, und eine Weile arbeitete ich wie gesagt als Empfangsdame und Buchhalterin für ihn. Als Gene in die Schule kam, habe ich einen Job in der Stadtverwaltung von Holt angenommen, das weißt du schon, und bin dort ziemlich lange geblieben. Zu lange.

Warum hast du dein Studium nicht wieder aufgenommen?

Ich glaube, weil ich gar nicht unbedingt Lehrerin werden wollte; es hat mich nicht besonders fasziniert. Es war einfach etwas, was man als Frau machen konnte. Lehrerin oder Krankenschwester. Nicht jeder findet heraus, was er im Leben machen will, so wie du.

Aber ich habe es ja auch nicht getan. Ich habe bloß damit gespielt.

Aber hast du denn nicht gern an der Highschool unterrichtet?

Doch, schon. Aber es war nicht dasselbe. Ich habe nur ein paar Wochen im Jahr Lyrik unterrichtet, nicht selber welche geschrieben. Den Schülern war es im Großen und Ganzen egal. Ein paar interessierten sich dafür, aber die meisten nicht. Wenn sie sich heute an diese Jahre und Stunden erinnern, denken sie wahrscheinlich nur: der alte Waters und seine übliche Leier. Schwafelte über einen Typen, der vor hundert Jahren ein Gedicht darüber verfasst hat, wie ein toter junger Sportler auf einem Stuhl durch die Stadt getragen wird. Sie konnten nichts damit anfangen und es auch nicht mit ihrem eigenen Leben in Verbindung bringen. Ich ließ sie ein Gedicht auswendig lernen. Die Jungs wählten unausweichlich das kürzeste, das sie finden konnten. Wenn sie aufstanden, um es vorzutragen, waren sie wie gelähmt und hypernervös. Sie taten mir beinahe leid.

Stell dir einen Jungen vor, der die ersten fünfzehn Jahre seines Lebens damit verbracht hat, zu lernen, wie man einen Traktor fährt, Weizen einbringt oder einen Mähdrescher ölt, und dann zwingt ihn jemand, einfach so ein Gedicht aufzusagen, laut, vor den anderen Jungen und Mädchen, die genauso aufgewachsen sind wie er, Weizenfelder abgeerntet, Traktoren gefahren, Schweine gefüttert haben, und nun muss er »Herrlichster aller Bäume, die Kirsche jetzt« rezitieren, ein Wort wie »herrlich« tatsächlich laut aussprechen, um seinen Abschluss in Englisch zu machen und die Schule endgültig hinter sich zu lassen.

Es war sicher gut für sie. Sie lachte.

Das dachte ich auch. Aber sie bestimmt nicht. Ich bin sicher, auch heute, im Rückblick, nicht, höchstens empfinden sie so etwas wie kollektiven Stolz, weil sie den Kurs beim alten Waters besucht und bestanden haben. Wahrscheinlich war es für sie so was Ähnliches wie ein Initiationsritus.

Du bist zu streng mit dir.

Ich hatte eine sehr aufgeweckte Schülerin vom Land, die das *Prufrock*-Gedicht perfekt auswendig gelernt hatte. Sie musste das nicht tun. Sie hatte es sich selbst ausgesucht, es war ihre eigene, freie Entscheidung. Ich hatte sie nur gebeten, ein kurzes Gedicht zu wählen. Mir kamen tatsächlich die Tränen, als sie all die Zeilen so gut aufsagte. Außerdem schien sie ziemlich klar zu begreifen, worum es in dem Gedicht ging.

Außerhalb des dunklen Schlafzimmers kam plötzlich Wind auf. Er blies heftig in das offene Fenster und peitschte die Vorhänge vor und zurück. Dann fing es an zu regnen.

Ich mache das Fenster lieber zu.

Aber nicht ganz. Riecht das nicht herrlich? Der herrlichste jetzt.

Genau.

Er stand auf und schob das Fenster nach unten, ließ es einen Spalt offen und kam zurück ins Bett.

Sie lagen nebeneinander und lauschten dem Regen.

So war das Leben letztlich für uns beide anders, als wir erwartet hatten, sagte er.

Trotzdem fühlt es sich gut an, jedenfalls in diesem Augenblick.

Besser wahrscheinlich, als ich es verdient habe, meinte er.

Oh, du hast es verdient, glücklich zu sein. Glaubst du nicht?

Ich glaube, so hat es sich entwickelt, in diesen letzten Monaten. Warum auch immer.

Du bist immer noch skeptisch, ob es halten wird.

Alles verändert sich. Er stand wieder auf.

Wo gehst du denn jetzt hin?

Ich will kurz nach ihnen sehen. Möglich, dass Wind und Regen sie erschreckt haben.

Nicht dass du sie erschreckst!

Ich bin ganz leise.

Und dann komm gleich wieder ins Bett.

Der Junge schlief. Der Hund hob den Kopf vom Kissen, sah zu Louis auf und senkte ihn wieder.

In Addies Schlafzimmer streckte er die Hand aus dem Fenster und fing den Regen auf, der vom Giebel tropfte. Dann legte er sich neben Addie und berührte mit der feuchten Hand ihre weiche Wange.

22

Als sie das nächste Mal in den Schuppen hinter Louis' Haus schauten, waren die Mäuse schon gewachsen. Sie hatten jetzt dunkles Fell, und ihre Augen waren offen. Als Louis den Deckel hob, wuselten sie durcheinander. Ihre Mutter war nicht da. Louis und der Junge beobachteten, wie die munteren kleinen Mäuse mit den schwarzen Augen übereinander hinwegkrabbelten, sich beschnupperten und versteckten. Bald werden sie ihr Nest verlassen, sagte Louis.

Was machen sie dann?

Das, was ihre Mutter ihnen beibringt. Sie suchen nach Futter und bauen sich selber Nester, damit sie sich mit anderen Mäusen zusammentun und Babys machen können.

Sehen wir sie dann nie wieder?

Wahrscheinlich nicht. Vielleicht hin und wieder im Garten oder um die Garage, neben den Hauswänden oder unter dem Schuppen. Wir müssen die Augen offen halten.

Warum ist ihre Mutter weggelaufen? Sie hat sie ganz allein gelassen.

Sie hat Angst vor uns. Mehr Angst vor uns als davor, ihre Kinder allein zu lassen.

Aber wir tun ihnen doch nichts, oder?

Nein. Ich will keine Mäuse im Haus haben, aber hier draußen stören sie mich nicht. Es sei denn, sie schlüpfen unter die Motorhaube und beißen die Kabel durch.

Wie denn?

Mäuse kommen fast überall hin.

Das ist doch nicht nötig, sagte Addie.

Doch, antwortete Ruth. Ich möchte mich für die Einladung revanchieren.

Soll ich was mitbringen?

Nur dich selbst. Und Louis und Jamie.

Am späten Nachmittag gingen sie zur Hintertür von Ruths altem Haus, und sie kam in Pantoffeln, einem einfachen Kleid und einer Schürze auf die Terrasse. Ihr Gesicht und die dünnen Wangen waren erhitzt vom Kochen. Sie bat sie herein. Bonny blieb am Fuß der Treppe sitzen und jaulte. Ach, lasst sie doch mit reinkommen. Sie stellt schon nichts an. Bonny sprang die Treppe hinauf ins Haus. Die anderen folgten und gingen in die Küche, wo der Tisch schon gedeckt war. Es war sehr warm wegen des Ofens. Eigentlich wollte ich hier mit euch essen. Aber jetzt ist es doch zu warm in der Küche.

Louis stand in der Tür. Sollen wir alles ins Esszimmer bringen?

Das ist zu viel Aufwand.

Wir tragen einfach alles rüber. Und wie wär's, wenn ich ein paar der Fenster aufmache?

Tja, die lassen sich nicht mehr aufmachen, glaube ich. Aber du kannst es ja versuchen.

Er fummelte mit einem Schraubenzieher an den Fenstern im Erker herum und bekam tatsächlich zwei auf.

Oh! Du hast es geschafft. Tja, ich muss zugeben, dass Männer manchmal doch zu was gut sind.

Da hast du verdammt recht, meinte Louis.

Es gab Makkaroni, mit Käse überbacken, Eisbergsalat mit Thousand-Island-Dressing, grüne Bohnen aus der Dose, Brot und Butter und Eistee, den Ruth aus einem schweren alten Glaskrug einschenkte, und zum Nachtisch auch noch Fürst-Pückler-Eis. Bonny lag zu Jamies Füßen.

Nach dem Essen ging Ruth mit Jamie ins Wohnzimmer und zeigte ihm die Bilder an den Wänden und auf dem Schreibtisch, während Addie und Louis den Tisch abräumten und das Geschirr abwuschen.

Schau mal hier, sagte sie. Was glaubst du, was das ist?

Weiß nicht.

Das ist Holt. So hat es hier in den Zwanzigern ausgesehen. Das ist neunzig Jahre her.

Der Junge sah zu ihrem faltigen alten Gesicht auf und betrachtete dann das Bild.

Oh, ich war damals noch nicht auf der Welt. So alt bin ich nun auch wieder nicht. Meine Mutter hat mir davon erzählt. Die ganze Main Street war von Bäumen gesäumt. Von Anfang bis Ende. Es war eine altmodische Straße, ruhig und ordentlich. Hübsch, nicht? Man konnte dort wunderbar spazieren gehen und einkaufen. Später bekam sie elektrisches Licht. Lampenpfosten und Straßenlaternen in der Main Street. Und dann haben sie eines Nachts, als die Leute schon schliefen, alle Bäume gefällt. Am nächsten Morgen sahen die Leute, was der Stadtrat angerichtet hatte. Angeblich verdunkelten die Bäume das Licht der Straßenlaternen. Die Leute waren außer sich, sie schnaubten vor Wut. Meine Mutter war noch Jahre später zornig. Sie war auch diejenige, die das alte Bild aufgehoben und mir dieses Stück Stadtgeschichte erzählt hat. Männer, sagte sie immer. Sie hat das meinem Vater nie verziehen. Er war Mitglied im Stadtrat.

Moment mal, mischte Louis sich ein. Hast du nicht eben gesagt, dass wir doch manchmal zu was gut sind?

Nein. Du bist noch auf Bewährung. Aber dieser Junge kann anders werden. Ich setze meine Hoffnungen auf ihn. Sie umschloss Jamies Gesicht mit beiden Händen. Du bist ein guter Junge. Vergiss das nicht. Lass dir von niemandem etwas anderes einreden. Auf keinen Fall, okay?

Nein.

Gut. Sie ließ ihn wieder los.

Danke für das Abendessen, sagte er.

Es war mir eine große Freude, mein Kleiner.

Dann brachen sie auf. Addie, Louis, Jamie und der Hund liefen in das kühle Sommerdunkel. Was für eine wunderschöne Nacht, rief Addie.

Ja, gab Ruth zurück. Ja. Schlaft gut.

24

Eines Morgens, als es noch kühl war, fuhren sie aufs Land, damit Bonny sich austoben konnte. Sie streiften ihr die Schutzsocke über und fuhren in westlicher Richtung aus der Stadt heraus, bis sie einen ebenen Feldweg erreichten. Im Straßengraben wuchsen Sonnenblumen, Bartgras und Seifenkraut. Jamie ließ Bonny vom Rücksitz springen und nahm ihr die Leine ab. Sie sah zu ihm auf und wartete.

Na los, sagte Louis. Jetzt kannst du rennen. Lauf! Er klatschte in die Hände.

Sie machte einen Satz und lief die Straße entlang, in den Straßengraben rein und wieder hinaus, wobei die geschützte Pfote ein leises Geräusch auf dem harten Boden machte. Der Junge lief hinter ihr her. Addie und Louis folgten ihnen langsam und sahen ihnen zu. Kein Wagen begegnete ihnen, solange sie dort waren.

Das war eine gute Idee, sagte Addie. Mit dem Hund, meine ich.

Der Junge wirkt fröhlicher.

Erstens das, und zweitens hat er sich jetzt an das Leben hier mit uns gewöhnt. Wer weiß, wie es wird, wenn er wieder nach Hause muss.

Dann kamen beide auf sie zugerannt. Jamie hatte ein erhitztes Gesicht und keuchte.

Sie kann sehr gut laufen, trotz der verletzten Pfote, sagte er. Habt ihr es gesehen?

Der Hund sah zu dem Jungen auf, und dann rannten sie erneut los. Es wurde allmählich heiß. Mitte Juli. Der Himmel war wolkenlos, das Weizenfeld neben der Straße schon abgeerntet; jetzt sah man nur noch die sauber geschnittenen Stoppeln. Auf dem nächsten Feld standen Maiskolben in dunkelgrünen geraden Reihen. Es war ein schöner, heißer Sommertag.

Ende Juli fuhr Ruth mit einer anderen alten Dame, die noch ihren Führerschein hatte, zur Bank in der Main Street. Dort stand sie am Kassenschalter, steckte das Geld, das sie gerade abgehoben hatte, in ihre Geldbörse, zog den Reißverschluss zu und wollte gehen, schaffte aber nur eine halbe Drehung und fiel tot um. Sie lag, ein letztes zerbrechliches Bündel, auf dem gefliesten Boden der Bank und atmete nicht mehr. Später sagten sie, dass sie vermutlich schon aufgehört hatte zu atmen, bevor sie auf den Boden traf. Die andere Frau hob die Hand zum Mund und brach in Tränen aus. Man rief einen Krankenwagen, doch für eine Rettung war es längst zu spät. Man machte sich nicht einmal die Mühe, sie ins Krankenhaus zu bringen. Der Coroner kam, um ihren Tod festzustellen, und dann fuhr man sie zum Bestattungsinstitut in der Birch Street. Ihre Leiche wurde eingeäschert. Zwei Tage später fand eine kleine Totenmesse in der Presbyterian Church statt. Es gab nicht mehr viele

Freunde, die noch lebten, alte Frauen und ein paar wenige alte Männer, die humpelnd und schlurfend in der Kirche erschienen und sich in die Kirchenbänke setzten. Einige senkten den Kopf, bis das Kinn auf der Brust lag, und nickten ein; erst als die Hymne angestimmt wurde, schreckten sie wieder hoch.

Addie und Louis saßen ganz vorn. Sie hatten die Messe organisiert und dem Geistlichen ein wenig von Ruth erzählt. Er hatte sie nicht gekannt. Sie war nicht mehr zur Kirche gegangen, in keine mehr, weil sie nichts von Orthodoxie hielt und die Art und Weise, wie man in den Kirchen über Gott sprach und dachte, kindisch fand.

Anschließend kehrten alle Leute, die der Totenmesse beigewohnt hatten, in ihre stillen Häuser zurück, und Addie nahm die emaillierte Urne mit der Asche an sich. Wie sich herausstellte, hatte die alte Dame keine nahen Verwandten, nur eine entfernte Nichte in South Dakota, die alles erbte. Eine Woche später kam sie nach Holt, um sich mit dem Anwalt und dem Immobilienmakler zu treffen. Nach wenigen Wochen war das Haus, in dem Ruth Jahrzehnte gewohnt hatte, an ein pensioniertes Ehepaar von außerhalb verkauft. Die Urne wollte die Nichte nicht haben. Wollen Sie sie?, fragte sie Addie.

Addie behielt sie und verstreute mit Louis die Asche um zwei Uhr morgens im dunklen Garten hinter Ruths Haus.

Jetzt war es nicht mehr wie früher, als Ruth noch lebte und sie alle zusammen zum Drive-in-Café und anschließend zu einem Softball-Spiel fahren konnten. Sie beschlossen, dass Jamie von alledem nichts zu wissen brauchte. Sie erzählten ihm, sie sei woanders hingezogen, und befanden, dass es nicht ganz gelogen war.

Sie war ein guter Mensch, nicht?, sagte Louis. Ich habe sie bewundert.

Ich vermisse sie jetzt schon, sagte Addie. Wie wird es wohl eines Tages mit uns sein – dir und mir?

26

Nach Connies Tod war Carl nicht mehr derselbe, erzählte Addie. Äußerlich wirkte er wie immer, zumindest solange er mit anderen Leuten zusammen war, im Büro oder sonst außer Haus, aber es hat ihn verändert. Er hatte unsere Tochter geliebt. Mehr als mich. Mehr als Gene. Danach hat er Gene kaum noch beachtet, und wenn, war er häufig sehr streng und mäkelte an ihm herum. Ich habe oft mit ihm darüber gesprochen, und jedes Mal versprach er, sich zu bessern. Aber es war nie wieder wie vorher, und das hat Gene zu schaffen gemacht. Ich weiß es. Ich habe versucht, es wettzumachen, aber auch das hat nicht geklappt.

Was war mit dir und ihm? Es muss auch euch verändert haben.

Das ganze erste Jahr nach Connies Tod haben wir nicht miteinander geschlafen. Es interessierte ihn einfach nicht. Und als es ihn wieder interessierte, war es nicht besonders gut. Es ging eher um das Körperliche als um Liebe oder Gefühle.

Nach etwa einem Jahr haben wir ganz damit aufgehört.

Wann war das?

Zehn Jahre vor seinem Tod.

Hast du es vermisst?

Natürlich. Aber noch mehr habe ich unsere Nähe vermisst. Wir waren uns überhaupt nicht mehr nah. Wir waren herzlich und nach außen irgendwie freundlich und höflich, aber das war alles.

Das wusste ich nicht. Es ist mir nicht aufgefallen.

Nein, wie sollte es auch? In der Öffentlichkeit waren wir immer nett miteinander, ja sogar liebevoll. Und wir haben euch nicht oft gesehen, obwohl wir Nachbarn waren. Aber niemand wusste davon. Ich habe es keinem erzählt und Carl ganz sicher auch nicht. Gene wusste es, aber er hat vielleicht geglaubt, dass es normal ist und das Leben nun mal so läuft. Dass Ehepaare so miteinander umgehen.

Das erscheint mir ziemlich traurig.

Ja, es war schlimm. Ich habe versucht, mit ihm zu reden, aber er wollte nicht. Ich habe versucht, nackt ins Bett zu kommen. Parfüm aufzutragen. Ich habe sogar hauchdünne Negligés aus einem Katalog bestellt. Er fand sie widerlich. Er wurde grob, fast brutal, wenn wir miteinander schliefen, was ohnehin kaum noch vorkam. Natürlich hatte es mit Liebe nichts zu tun. Ich fühlte mich danach nur noch elender. Ich gab den Versuch auf, die Dinge zu kitten, und wir richteten uns in unserem langen, höflichen und stillen Leben ein. Ich fuhr mit Gene nach Denver, zu Konzerten oder ins Theater, und versuchte, ihm mehr mitzugeben als dieses Haus und seine Geheimnisse, ihn aus Holt rauszuholen und ihm eine größere Welt zu zeigen. Auch das hat nicht besonders viel gebracht. Gene blieb genauso verschlossen wie sein Vater. Auf der Highschool wurde es noch schlimmer, und dann zog er weg, um aufs College zu gehen, und wir sahen ihn noch seltener. So fing ich an, allein zu Konzerten oder ins Theater nach Denver zu fahren. Ich wollte mir etwas Gutes tun. Ich hatte das Gefühl, dass ich es verdient hatte. Ich nahm mir ein Zimmer im Brown Palace Hotel und ging allein in teure Restaurants. Ich kaufte ein paar Kleider, die ich nur in Denver trug. In Holt wollte ich mich damit nicht sehen lassen. Ich wollte auch nicht, dass die Leute davon erfuhren. Aber vermutlich wussten sie es trotzdem. Deine Frau zum Beispiel.

Jedenfalls hat sie mir nie etwas davon erzählt.

Das habe ich an Diane immer gemocht. Ich hielt sie für jemanden, dem man vertrauen konnte, der nicht tratschen oder hinter jemandes Rücken schlecht über ihn reden würde.

Aber ihr habt all die Jahre nach wie vor im gleichen Bett geschlafen. Ihr wolltet keine getrennten Schlafzimmer.

Das klingt bestimmt seltsam. Aber irgendwie war es das wenige, was uns geblieben war. Wir fassten einander nicht an. Man lernt, auf seiner Seite zu bleiben und sich nachts nicht einmal versehentlich zu berühren. Man kümmert sich umeinander, wenn man krank wird, und tagsüber erledigt jeder das, was er für seine Pflicht hält. Carl brachte mir Blumen mit, als Wiedergutmachung, und die Leute in der Stadt dachten, wie nett. Doch die ganze Zeit gab es dieses heimliche Schweigen.

Und dann ist er gestorben, sagte Louis.

Ja. Ich habe ihn von Anfang an gepflegt. Ich wollte es so. Ich musste es tun. Er war immer wieder länger krank, bevor er an jenem Sonntagmorgen in der Kirche starb. Ja, ich habe ihn gepflegt. Ich weiß nicht, was ich sonst hätte machen sollen. Wir hatten so lange zusammengelebt, auch wenn es für beide von uns nicht gut gewesen war. Es war unsere Geschichte.

27

Mitte der Woche packten sie die Camping-Ausrüstung in Louis' Pick-up und fuhren aus der Ebene hinaus nach Westen, auf das Gebirge zu. Die Berge ragten immer höher auf, je näher sie der Front Range kamen, die dunklen bewaldeten unteren Ausläufer und weiter hinten, oberhalb der Baumgrenze, die weißen Gipfel, auf denen stellenweise noch Schnee lag, selbst jetzt im Juli. Sie folgten dem U. S. Highway 50 durch die wenigen Städte. In einer davon machten sie Rast und aßen Hamburger. Sie fuhren weiter durch den Arkansas River Canyon mit seinem schönen, raschen Wasserlauf, den steilen, zerklüfteten, rötlichen Klippen zu beiden Seiten und den Rocky-Mountain-Dickhornschafen, die neben der Straße grasten, lauter Weibchen mit kurzen scharfen Hörnern, und noch weiter, bis sie auf der Country Road 240 zum North Fork Campground abbogen, in den Nationalpark hinein. Auf dem Campingplatz waren nur wenige Leute oder Wohnmobile. Sie stiegen aus und entluden das Gepäck an einer Stelle nahe beim Bach. Man hörte das Plätschern und Rauschen des klaren eisigen Wassers, wo sich Bachsaiblinge unter den Felsen versteckten. Hohe Tannen, große Goldkiefern und Espen erhoben sich zu beiden Seiten des Wassers und auf den Hängen. Die Plätze für die Zelte und Wohnmobile waren mit Hölzern gekennzeichnet, und in der Nähe gab es Picknicktische und Feuerstellen.

Erst schlagen wir unser Lager auf, dann sehen wir uns um, sagte Louis.

Der Junge half ihm dabei, das Zelt an einem Platz aufzubauen, den Louis ausgesucht hatte, weil er gut und flach war und nicht zu nahe an einer Feuerstelle. Louis zeigte ihm, wie man die Zeltstangen positioniert, die Spannseile straff zieht und im Boden verankert und die Klappen vor den Fenstern und dem Eingang zum Zelt zurückschlägt. Dann verteilten sie Luftmatratzen und Schlafsäcke so, dass Jamie und Bonny auf einer und Louis und Addie auf der anderen Seite liegen konnten. Addie zog den Reißverschluss eines Schlafsacks auf und breitete ihn für Louis und sich aus, dann machte sie dasselbe mit einem anderen und legte ihn darüber, so dass sie ein breites, bequemes Bett hatten. Jamie bekam den dritten Schlafsack.

Schließlich war ihr Lager fertig, und sie gingen

zum Bach und wateten eine Weile im eiskalten Wasser herum.

Es ist zu kalt, Grandma.

Es kommt ja auch direkt aus dem Schnee, mein Schatz.

Inzwischen wurde es dunkel, und die Abendbrotzeit war schon längst vorbei. Louis und der Junge schleppten Holz aus dem Pick-up zur Feuerstelle, denn das Absägen von Ästen oder Stämmen war im Nationalpark verboten. Jamie sammelte noch ein wenig Reisig und trockene Zweige vom Boden, und sie machten ein kleines Feuer innerhalb des Steinkreises und legten ein Gitter darauf, damit Addie und der Junge Würstchen grillen und Baked Beans in einem Eisentopf erhitzen konnten; dazu gab es rohe Möhren und Kartoffelchips. Als das Essen fertig war, setzten sie sich an den Picknicktisch und betrachteten das Feuer.

Kannst du noch ein paar Holzscheite aus dem Wagen holen?, bat Louis.

Jamie und der Hund traten aus dem Schein des Feuers und gingen zum Pick-up. Als sie wiederkamen, trug der Junge einen Armvoll Holz.

Leg ruhig ein bisschen nach, sagte Louis.

Jamie legte mit ausgestrecktem Arm ein Stück Holz auf das Feuer. Seine Augen tränten und blinzelten vom Rauch. Dann setzte er sich wieder. Die

Luft war kühl und frisch, von den Bergen her war Wind aufgekommen. Sie sprachen nicht, sondern sahen ins Feuer und hinauf zu den Sternen knapp über den Bergen. Am nördlichen Nachthimmel erkannte man den leuchtenden kahlen Gipfel des Mount Shavano.

Irgendwann ging Louis mit Jamie ein Stück am Bach entlang und schnitt drei grüne Weidenruten ab, spitzte die Enden zu und kehrte zum Feuer zurück. Deine Großmutter hat noch eine Überraschung für dich.

Was denn?

Addie kramte eine Tüte Marshmallows hervor und steckte je eins auf die scharfen Spitzen der Weidenruten.

Halt sie dicht ans Feuer, damit sie braun und weich werden.

Jamie hielt seine Rute ans Feuer, und sofort flammte das Marshmallow auf.

Pusten … du musst pusten!

Addie zeigte ihm, wie man Marshmallows anbräunte, indem man den Stock langsam drehte. Jeder von ihnen aß zwei oder drei. Jamies Mund und Hände waren klebrig von dem süßen Innern und schwarz von der Asche der Marshmallows.

Als sie fertig waren, verstauten sie die Reste im Führersitz des Pick-ups, damit das Essen keine Bären anlockte. Dann zeigte Louis Jamie die Toilette des Campingplatzes und begleitete ihn mit einer Taschenlampe hinein.

Hier kannst du pinkeln, aber komm gleich wieder raus, sagte Louis. Wir wollen uns hier nicht länger aufhalten als nötig. Möchtest du, dass ich bei dir bleibe?

Es stinkt hier drin.

Louis leuchtete mit der Taschenlampe auf die große dunkle Öffnung des Tanks.

Mach schon. Ich lass dich nicht allein.

Louis wandte sich ab, und der Junge hockte sich auf den Sitz über dem offenen Tank. Er hatte Angst vor dem Loch. Als er fertig war, benutzte auch Louis die Toilette. Draußen wartete Bonny. Sie sogen die frische Luft ein. Dann gingen sie zur Pumpe, wuschen sich Gesicht und Hände und kehrten zurück zum Zelt.

Da drin hat es gestinkt, Grandma.

Ich weiß.

Sie half Jamie beim Fertigmachen für die Nacht, und er kroch in den Schlafsack. Bonny lag neben ihm auf dem Kissen.

Und wo seid ihr?

Wir schlafen hier, direkt neben dir.

Die ganze Nacht?

Ja.

Er schlief ein. Nach einer Stunde kamen auch Addie und Louis ins Zelt, zogen sich aus und legten sich hin. Hand in Hand betrachteten sie die Sterne, die durch das Stofffenster des Zelts schimmerten. Die Tannen ringsum verströmten einen kräftigen Duft.

Ist das nicht wunderschön?, sagte Addie.

Am Morgen aßen sie Pfannkuchen und Eier mit Speck zum Frühstück, räumten das Lager auf und verstauten Essen und Pfannen in einer Kühlbox im hinteren Teil des Pick-ups. Dann fuhren sie auf dem Highway noch höher hinauf in die Berge, zum Monarch Pass. An der kontinentalen Wasserscheide hielten sie an und stiegen aus, um über die Hänge im Westen zu blicken. Wären ihre Augen gut genug gewesen und wäre es möglich gewesen, über die Krümmung der Erde hinweg zu sehen, hätten sie jenseits der Berge, in tausend Meilen Entfernung, den Pazifischen Ozean erkennen können. Um die Mittagszeit fuhren sie zurück zu ihrem Lager, aßen Käsesandwiches und Äpfel und tranken kaltes Wasser aus einem altmodischen Brunnen, man musste es mit einem grünen Pumpenschwengel herauspumpen. Anschließend wanderten sie zum Wasserfall am North Fork Creek. Dort setzten sie sich hin und sahen zu, wie das Wasser in einen klaren grünen Teich in der Tiefe hinabstürzte.

Als sie hinunterkletterten, war die Luft dort unten kühler, und eine Dunstschicht legte sich auf ihre Gesichter.

Nach der Rückkehr zum Campingplatz stellten Addie und Louis Klappstühle in den Schatten am Bach und lasen in ihren Büchern. Der Junge und der Hund erforschten die Umgebung und liefen zwischen den Bäumen hin und her.

Können wir irgendwohin gehen?, fragte Jamie.

Ihr könnt dem Bach folgen, sagte Louis. In welche Richtung fließt er, was meinst du?

Da runter.

Und warum?

Weiß ich nicht.

Weil es nach unten geht. Wasser will immer an einen tiefer gelegenen Ort fließen. Und wo willst du hin?

Da entlang.

Das ist abwärts. Den Bach hinunter. Und was tust du, wenn du zum Lager zurückwillst?

Umkehren.

Schlaues Bürschchen! Folge dem Bach aufwärts und komm zum Zelt zurück. Deine Großmutter und ich werden hier auf dich warten. Versuch es mal. Geh ein kleines Stück und komm zurück. Nimm Bonny mit. Aber du darfst den Bach nicht überqueren. Bleib auf dieser Seite.

So zogen Jamie und Bonny los und kamen zurück, gingen beim nächsten Mal ein Stück weiter, stromerten in den Felsen herum und inspizierten das funkelnde Katzensilber auf den großen Felsblöcken oder streckten sich bäuchlings aus, um ins Wasser hinabzusehen. Dann kamen sie am Bach entlang wieder zurück.

Was hast du gesehen?, fragte Louis.

Keine Bären. Aber ein Reh.

Was hat Bonny gemacht?

Sie hat es angebellt. Dann sind wir zurückgekommen. Mehr haben wir nicht gemacht.

Am Abend zündeten sie wieder ein kleines Feuer an. In der Eisenpfanne schmorte Addie zerkleinerte Zwiebeln und Paprika mit Butter und vermischte sie mit einer Sauce aus zerbröselten Hackbällchen, Tomaten, einem Löffel Zucker und Worcestershiresauce, einer Vierteltasse Ketchup, Salz und Pfeffer, die sie bereits zu Hause gekocht hatte, bevor sie aufgebrochen waren. Jetzt rührte sie alles noch einmal gut um und legte einen Deckel auf die Pfanne. Louis und Jamie packten weiche Hamburgerbrötchen und den Rest der Chips vom Vortag aus und stellten alles auf den Tisch, mitsamt den Tellern und unzerbrechlichen Tassen. Jamie ging mit Bonny und einem leeren Krug zur Pumpe und kam mit frischem, süßem Wasser zurück. Zu dritt setzten sie sich dann zum Essen ans Feuer, während es rings um sie herum dunkel wurde. Der Junge gab Bonny etwas von seinem Hackfleisch ab und warf Louis einen Blick zu, als wollte er sehen, wie er reagierte. Louis zwinkerte ihm zu und ließ den Blick zu den Bäumen schweifen.

Ob wir heute Nacht Bären sehen?, fragte Jamie.

Das glaube ich nicht. Aber wenn, dann sind es Schwarzbären. Sie werden uns nichts tun, es sei denn, sie bekommen Angst. Bonny würde uns auf alle Fälle warnen.

Ich würde gern einen vom Pick-up aus sehen. Aber nur von drinnen.

Das wäre am sichersten.

Machst du dir Sorgen wegen der Bären?, fragte Addie.

Ich würde nur gern mal einen sehen.

Sie kippten Wasser auf das Feuer, und das Holz zischte und qualmte. Als die rote Asche verglüht war, ging Louis mit Jamie zu den Bäumen und beleuchtete mit der Taschenlampe den Weg vor ihnen. Dann blieb er stehen.

Hier kannst du pinkeln, sagte er. Wir müssen nicht zur Toilette gehen, wenn es so dunkel ist.

Ich darf aber nicht draußen pinkeln.

Diesmal ist es okay. Niemand wird uns sehen. Louis knipste das Licht aus. Die Tiere pinkeln auch hier draußen. Einmal dürfen wir ruhig eine Ausnahme machen, würde ich sagen.

Beide pinkelten auf den Boden, dann knipste Louis die Taschenlampe wieder an und reichte sie Jamie. Das Licht flackerte und kurvte zwischen Bäumen und Unterholz hin und her. Sie kehrten zum Zelt zurück.

Am nächsten Tag verließen sie die Berge und fuhren wieder in die Ebene. Jetzt kamen ihnen andere Leute entgegen, die das Wochenende hier oben verbringen wollten. Ihre großen Wohnmobile wirkten wie Fremdkörper im Wald.

Als sie die Ebene erreichten, war die Luft wieder heiß und trocken, und das Land schien flacher als zuvor, kahler und baumlos. Erst nach Einbruch der Dunkelheit waren sie zu Hause, so müde, dass sie nur duschten und dann gleich in ihren jeweiligen Zimmern zu Bett gingen.

28

Anfang August kam Gene aus Grand Junction zu Besuch. Addie und Jamie empfingen ihn an der Tür.

Wo ist denn der Hund, von dem du mir erzählt hast?, fragte er.

Drüben bei Louis, antwortete Jamie.

Du nennst ihn Louis?

Ja. Hat er gesagt.

Sie gingen hinein. Gene trug sein Gepäck nach oben in das Zimmer, wo Jamie und Bonny schliefen, und stellte es auf das Bett.

Ich schlafe hier mit dir in meinem alten Zimmer.

Und Bonny?

Sie kann nicht auch noch hier schlafen, bei uns beiden.

Sie schläft aber immer bei mir.

Mal sehen.

Dann gingen sie wieder nach unten, und am späten Nachmittag kam Louis vorbei, um Gene zu begrüßen, und brachte Bonny mit. Jamie kniete sich vor sie hin, streichelte sie und ging dann mit ihr raus, um im Garten zu spielen.

Lauf ja nicht auf die Straße, sagte Gene.

Wir machen das immer so, Dad.

Damit waren sie weg.

Gene warf Louis einen Blick zu. Wie ich höre, sind Sie oft hier bei meiner Mutter.

Manchmal komme ich abends rüber.

Was hat das zu bedeuten?

Wir sind Freunde. Das ist das Wichtigste.

Was soll denn das?, fragte Addie. Du weißt doch Bescheid.

Was das soll? Meine Mutter schläft mit einem alten Nachbarn, während mein Sohn im Nebenzimmer liegt, und ich darf nicht einmal eine Frage stellen?

Genau. Was geht dich das an?

Es geht mich sehr wohl etwas an, wenn mein Sohn hier wohnt.

Es gibt da nichts zu sehen, sagte Louis. Ich glaube nicht, dass es ihm schadet. Würde ich das glauben, wäre ich gar nicht erst hier.

Ich weiß nicht, ob Sie das beurteilen können. Sie bekommen, was Sie wollen. Warum sollten Sie sich Gedanken um einen Jungen machen, der gar nicht zu Ihnen gehört?

Ich mache mir sogar sehr viele Gedanken um ihn.

Nun, dann können Sie jetzt damit aufhören. Ich möchte nicht, dass er davon beeinflusst wird. Ich weiß Bescheid über Sie. Schon als Kind habe ich Sachen über Sie gehört.

Was haben Sie denn gehört?

Dass Sie Ihre Frau und Tochter verlassen haben – wegen einer anderen Frau.

Das ist mehr als vierzig Jahre her.

Aber so war es.

Und es tut mir leid. Doch ich kann es nicht mehr ungeschehen machen. Louis musterte ihn einen Augenblick. Ich glaube, es ist besser, wenn ich jetzt gehe. Das bringt uns nicht weiter.

Ich rufe dich später an, sagte Addie zu ihm.

Louis stand auf und ging.

Warum benimmst du dich so?, sagte Addie. Was ist los mit dir?

Ich will nicht, dass mein Sohn Schaden nimmt.

Findest du nicht, dass sein Vater und seine Mutter ihm in diesem Sommer schon eine ganze Menge Schaden zugefügt haben?

Doch, das finde ich auch. Und jetzt wird es noch schlimmer.

Du hast nicht die geringste Ahnung, wovon du redest. Es geht ihm jetzt viel besser als zu der Zeit, als du ihn hergebracht hast. Und wenn du die Wahrheit wissen willst: Louis hat ihm sehr gutgetan.

Weil er es auf dein Geld abgesehen hat, wie?

Wovon redest du jetzt wieder?

Wenn du ihn heiraten würdest, bekäme er doch die Hälfte von allem, oder etwa nicht? Ich könnte es nicht mal verhindern.

Wir haben nicht vor zu heiraten. Und er interessiert sich nicht für mein Geld. Mein Gott, was hast du eigentlich für ein Bild von mir?

Er wandte den Blick ab. Ich weiß nicht, was ich tun soll. Ich muss noch einmal ganz von vorn anfangen.

Du weißt doch, dass ich dir helfe.

Aber wie lange?

Solange es nötig ist. Solange ich kann.

Du hast es jetzt schon satt. Kein Wunder.

Trotzdem tue ich es. Du bist mein Sohn. Jamie ist mein Enkel.

In den folgenden beiden Nächten blieb der Hund bei Louis, und der Junge schlief oben mit seinem Vater im hinteren Zimmer. In der zweiten Nacht, der von Sonntag auf Montag, hatte er einen Alptraum und schreckte weinend aus dem Schlaf. Er ließ sich erst beruhigen, als Addie kam, ihn an sich drückte und mit in ihr Bett nahm. Am Montag verabschiedete Gene sich von ihnen und fuhr nach Hause.

Als sein Vater weg war, lief der Junge rüber zu

Louis, zog Bonny ihre Schutzsocke an, nahm sie an die Leine und ging mit ihr um den Block und durch den Seitenweg, bis sie Addies Garten erreichten. Dort spielte er mit ihr, während Louis und sie zusahen.

Es war schlimm letzte Nacht, sagte Addie. Es war so wie ganz am Anfang, als er hier ankam. Diese Alpträume. Er war wieder ganz aufgewühlt. Und jetzt hat Gene mir auch noch erzählt, dass Beverly in ein paar Wochen nach Hause kommt.

Und dann?

Ich weiß nicht. Sie wollen es noch einmal miteinander versuchen, nehme ich an. Sie wird wieder einziehen. Und Jamie kommt in die Schule.

Er sollte Bonny mitnehmen, wenn er geht. Falls sie einwilligen.

Ich weiß nicht, ob sie einverstanden wären.

Frag sie doch einfach. Ihm täte es gut.

Sie sahen hinaus zu Jamie und Bonny im Garten.

Soll ich heute Abend wieder kommen?, fragte Louis.

Das würde ich dir dringend raten, du schamloser alter Mann.

Schamlos hat er nicht gesagt.

Aber ich weiß es, sagte sie.

29

Das letzte Jahr war schrecklich für sie, sagte Louis. Es ging ihr nur noch schlecht. Sie versuchten es mit Chemotherapie und Bestrahlung, das hielt den Krebs für eine Weile auf, aber er war immer noch da, und sie bekamen ihn nie ganz aus ihrem System heraus. Dann wurde es wieder schlimmer, und sie wollte keine weiteren Behandlungen. So siechte sie einfach dahin.

Daran erinnere ich mich noch, sagte Addie. Ich wollte ihr helfen.

Ich weiß. Du und auch andere habt uns Essen gebracht. Dafür war ich sehr dankbar. Auch für die Blumen.

Aber ich habe sie nie im Bett liegen sehen.

Nein. Sie wollte keine Gesellschaft da oben, abgesehen von Holly und mir. Sie wollte nicht, dass irgendwer mitbekam, wie sie aussah in diesen letzten Monaten. Und vor allem wollte sie nicht reden. Sie fürchtete sich vor dem Tod. Egal, was ich sagte, es spielte überhaupt keine Rolle.

Hast du keine Angst vor dem Tod?

Nicht so wie früher. Inzwischen glaube ich an so etwas wie ein Leben nach dem Tod. Eine Rückkehr zu unserem wahren, spirituellen Ich. Wir bewohnen diesen physischen Körper nur so lange, bis wir wieder zu geistigen Wesen werden.

Ich weiß nicht, ob ich das auch glaube, sagte Addie. Aber vielleicht hast du recht. Ich hoffe es.

Wir werden es sehen, nicht wahr? Aber noch nicht jetzt.

Nein, noch nicht jetzt, sagte Addie. Ich liebe diese physische Welt. Ich liebe das greifbare Leben mit dir. Die Luft und das Land. Den Garten, den Kies im Seitenweg. Das Gras. Die kühlen Nächte. Im Bett zu liegen und mich im Dunkeln mit dir zu unterhalten.

Das alles liebe ich auch. Aber Diane konnte nicht mehr. Am Ende war sie zu müde und erschöpft, um noch auf ihre Ängste zu achten. Sie wollte gehen, wollte nur noch Erlösung. Ein Ende ihrer Qualen. Sie litt entsetzlich während dieser letzten Monate. So viele Schmerzen trotz Beruhigungsmitteln und Morphium. Und unterschwellig hatte sie die meiste Zeit immer noch Angst. Manchmal, wenn ich nachts reinkam und nach ihr sah, lag sie wach und starrte durch das Fenster ins Dunkel. Kann ich etwas tun?, fragte ich. Nein. Brauchst du etwas?

Nein. Ich will nur, dass es bald vorbei ist. Holly half ihr beim Baden und versuchte, sie zum Essen zu überreden, aber sie hatte keinen Hunger. Sie nahm nichts mehr zu sich. Vermutlich wusste sie irgendwie, dass sie sich zu Tode hungerte. Sie war so winzig und zerbrechlich am Ende; ihre Arme und Beine waren wie Stöcke. Die Augen wirkten viel zu groß für den Kopf. Es war grässlich mit anzusehen und noch grässlicher für sie selbst natürlich. Ich wollte etwas für sie tun, und es gab doch nicht mehr als das, was wir bereits taten. Die Pflegerin aus dem Hospiz kam jeden Tag und war sehr gut. Sie sorgte dafür, dass Diane zu Hause sterben konnte. Sie wollte nie wieder zurück in ein Krankenhaus. Und so kam es dann auch. Schließlich starb sie. Holly und ich waren bei ihr. Sie schaute uns an mit ihren großen, dunklen, starren Augen, als wollte sie sagen: Helft mir, helft mir, warum helft ihr mir nicht. Dann hörte sie auf zu atmen und war tot.

Man sagt, der Geist bleibe noch eine Weile da, schwebe über dem Körper, und vielleicht war es so bei ihr. Holly sagte, sie hätte das Gefühl, dass ihre Mutter noch im Raum sei, und ich vielleicht auch. Ich war nicht sicher. Irgendetwas spürte ich. Eine Art Ausstrahlung. Aber es war sehr schwach, kaum mehr als ein Hauch. Ich weiß es nicht. Wenigstens hat sie jetzt Frieden gefunden, an einem anderen Ort oder in einer höheren Sphäre. Vermutlich ist es das, was ich glaube. Zumindest hoffe ich es. Von mir hat sie nie wirklich bekommen, was sie wollte. Sie hatte eine Art Idee, eine Vorstellung, wie das Leben sein sollte oder eine Ehe sein sollte, aber so war es nie mit uns. In dieser Hinsicht habe ich sie enttäuscht. Sie hätte jemand anderen gebraucht.

Du bist schon wieder zu streng mit dir, sagte Addie. Wer bekommt denn schon das, was er sich wünscht? Nicht viele, wie mir scheint, wenn überhaupt. Immer sind es zwei Menschen, die blindlings aufeinanderstoßen und alte Ideen und Träume und falsch verstandene Erkenntnisse ausleben. Allerdings finde ich nach wie vor, dass dies nicht für dich und mich gilt. Jedenfalls nicht hier und jetzt.

Das Gefühl habe ich auch. Aber du könntest mich irgendwann satthaben und wieder frei sein wollen.

Wenn das passiert, hören wir auf, sagte sie. So haben wir es doch vereinbart, nicht wahr? Auch wenn wir es nie so deutlich ausgesprochen haben.

Ja, wenn du es leid wirst, kannst du es sagen.

Und du auch.

Ich glaube nicht, dass es bei mir so weit kommt.

Diane hat nie erlebt, was wir beide haben. Es sei denn, sie hatte jemanden, von dem ich nichts wusste. Aber das glaube ich nicht. Es hätte nicht zu ihr gepasst.

30

Im August fand die alljährliche Kirmes von Holt County statt, mit Rodeo und einer Landwirtschaftsschau auf dem Rummelplatz im Norden der Stadt. Es ging los mit einer Parade, die am südlichen Ende der Main Street startete und dann die Straße entlang zog, Richtung Eisenbahngleise und altes Depot. Am Tag der Parade goss es in Strömen. Louis und Addie zogen ihre Regenmäntel an und schnitten ein Loch in eine schwarze Mülltüte, die sie Jamie überstülpten. Dann gingen sie zu dritt zur Main Street hinüber und stellten sich mit den anderen Leuten am Straßenrand auf. Trotz des schlechten Wetters säumten viele Menschen beide Seiten der Straße. Die Ehrengarde führte die Parade an, schwenkte ihre schlaffen Fahnen und hatte die tropfenden Gewehre geschultert. Dann ratterten alte Traktoren vorbei und Pritschenwagen mit uralten Mähdreschern, vorsintflutlichen Heurechen und Mähmaschinen, noch mehr knatternde und knallende Traktoren und die Highschool-Band, die jetzt im Sommer auf nur fünfzehn Mitglieder geschrumpft war. Sie trugen weiße Hemden und Jeans, die komplett durchgeweicht waren und auf der Haut klebten. Es folgten die Kabrios der Honoratioren des County, mit geschlossenem Verdeck, wegen des Wetters. Danach kamen die Rodeo-Queen und ihr Gefolge hoch zu Ross, alles gute Reiterinnen mit dicken Regenjacken, gefolgt von weiteren eleganten Autos mit Werbung auf den Türen und den Leuten vom Lions Club, vom Rotary, Kiwanis und Shriners, die durch die Straße kurvten wie fette kleine Angeber-Jungs in ihren frisierten Gokarts, dann weitere Pferde und Reiter in gelben Regenjacken, ein Ponywagen, und fast am Ende hatte sich auch noch ein Pritschenwagen mit einer Heiligenfigur aus Pappe und einer Art Podium eingereiht, der zu einer der evangelikalen Kirchen der Stadt gehörte. Auf dem Podium erhob sich ein Holzkreuz, und davor stand ein junger Mann mit langem Haar und dunklem Bart. Er trug ein weißes Gewand und schützte sich mit einem Schirm vor dem Regen. Als Louis ihn sah, lachte er laut los. Die Leute drehten sich um und starrten ihn an.

Du bringst dich noch in Schwierigkeiten, sagte Addie. Die Leute nehmen das hier sehr ernst.

Er kann wohl auf dem Wasser wandeln, aber nicht verhindern, dass es ihm auf den Kopf fällt.

Nicht so laut, ermahnte sie ihn. Wo sind deine guten Manieren?

Jamie blickte zu ihnen auf, um zu sehen, ob sie wirklich stritten.

Am Ende der Parade kam die Straßenreinigung von Holt und fegte alles mit großen rotierenden Bürsten wieder sauber.

Nachmittags ließ der Regen nach, und sie fuhren zum Rummelplatz, parkten den Wagen und spazierten an den Ställen der seidig glänzenden Pferde und herausgeputzten Rinder vorbei, deren Schwänze gekämmt und aufgebauscht worden waren, warfen einen Blick auf die großen Mastschweine, die auf den mit Stroh ausgelegten Betonböden der Pferche lagen, fett, keuchend, rosa, mit zuckenden Ohren, besahen sich die Ziegen und frisch geschorenen Schafe und gingen dann hinaus zu den Gehegen der Kaninchen, Hühner und weiter bis zum Jahrmarkt. Jamie und Addie kauften Karten für das Riesenrad, Louis hingegen behauptete, ihm würde schlecht davon. Addie und der Junge schwebten in einem weiten Bogen aufwärts, und als sie ganz oben waren, zeigte sie ihm die Main Street, das Getreidesilo, den Wasserturm und die Gegend um die Cedar Street, wo ihre Häuser standen.

Kannst du meins sehen?

Nein.

Gleich da drüben. Hinter den großen Bäumen.

Ich seh es nicht.

Sie blickten weit hinaus über den Rand der Stadt auf das offene Land, man konnte Farmen, Scheunen und Windschutzhecken ausmachen. Danach probierten sie ein paar Spiele aus, Schießstand und Ballwurf, kauften rosa Zuckerwatte für Jamie und eisgekühlte Erfrischungsgetränke für sich, schlenderten umher und beobachteten die Leute, und dann fuhren Addie und der Junge noch einmal mit dem Riesenrad. Inzwischen war es später Nachmittag. Man konnte die laute, aufgekratzte Stimme des Ansagers aus der Arena hinter den Tribünen hören – das Rodeo war noch im Gang. Sie kauften keine Karten, gingen aber bis ans Ende des Rummelplatzes und spähten über den Zaun, um zu sehen, wie die Kälber mit Lassos eingefangen und die Bullen zugeritten wurden. Auf einem Feldweg fand ein Rennen über eine Viertelmeile statt, sie sahen die Pferde vorbeigaloppieren und die Jockeys jetzt, da sie die Ziellinie passiert hatten, in den Steigbügeln aufstehen. Die Pferde blähten nervös die Nüstern. Schließlich kehrten sie zum Wagen zurück, um nach Hause zu fahren. Der Junge holte Bonny aus Louis' Küche, und sie aßen auf der Vorderveranda zu Abend, während sich der Tag dem Ende zuneigte.

Louis mähte erst seinen Rasen, dann auch den von Addie, und leerte das Gras aus dem Fangkorb in eine Schubkarre. Jamie schob sie in den Seitenweg und kippte es auf den muffigen Misthaufen, dann kam er zurück und holte die nächste Fuhre. Als sie fertig waren, spritzte Louis den Rasenmäher mit dem Wasserschlauch ab und stellte ihn wieder in den Schuppen.

In der Ecke hob er den Deckel von der Kiste mit dem Mäusenest.

Glaubst du, dass wir sie je wiedersehen?

Vielleicht, antwortete Louis. Wir müssen weiter Ausschau nach ihnen halten.

Ich würde gern wissen, wo sie hingegangen sind. Und ob ihre Mutter sie gefunden hat.

Sie gingen zu Addie und tranken Eistee in ihrer Küche, dann übten sie Fangen und Werfen in dem schattigen Durchgang zwischen den Häusern. Addie kam mit ihnen hinaus. Bonny raste hin und her auf der Jagd nach dem Ball, sprang in die Luft, schnappte ihn, wenn er den Boden berührte, und rannte im Kreis, bis sie sie einfingen.

Um die Mittagszeit ging Louis nach Hause, und Jamie behielt den Hund bei sich, aß mit Addie zu Mittag, unterhielt sich noch eine Weile mit ihr und ging schließlich nach oben in sein Zimmer, wo Bonny am Fußende des Bettes döste, während er mit seinem Handy spielte und seine Mutter anrief.

Wir sehen uns bald, sagte sie. Habe ich es dir noch nicht gesagt? Ich komme nach Hause zurück.

Was meint Dad?

Er findet es gut. Wir wollen es noch einmal versuchen. Freust du dich?

Wann kommst du denn?

In ein oder zwei Wochen.

Wirst du wieder bei uns wohnen?

Na klar. Wo sollte ich denn sonst hin?

Weiß ich nicht. Woanders vielleicht?

Ich will bei dir sein, mein Schatz.

Und bei Dad.

Ja, und bei Dad.

32

Ein paar Abende später fuhren Addie, Louis und Jamie zum Wagon Wheel Restaurant am Highway im Osten der Stadt und setzten sich an einen der Tische vor den großen Fenstern. Von dort sah man auf die abgeernteten Weizenfelder im Süden. Die Sonne ging gerade unter, und die Stoppeln waren ein schöner Anblick in dem abnehmenden Licht. Nachdem sie bestellt hatten, kam ein alter Mann und ließ sich schwerfällig auf einem freien Stuhl an ihrem Tisch nieder. Ein großer, kräftig wirkender Mann mit einem langärmligen Hemd und neuen Jeans. Sein breites Gesicht war sehr rot.

Du kennst doch Addie Moore, Stanley, oder?, fragte Louis.

Nicht so gut, wie ich wünschte.

Addie, das ist der berühmte Stanley Thompkins.

Eher berüchtigt als berühmt, würde ich sagen, meinte Stanley.

Und das ist Addies Enkel Jamie Moore.

Lass mal sehen, wie fest du zupacken kannst, Kleiner.

Der Junge streckte den Arm über den Tisch und schüttelte dem alten Mann die fleischige Hand. Der fuhr zusammen, und Jamie starrte ihn an.

Die Leute erzählen, dass ihr zwei zusammen seid, sagte Stanley.

Sagen wir es so: Addie ist bereit, mich zu ertragen, erwiderte Louis.

Dann gibt es ja vielleicht auch Hoffnung für andere Leute in diesem Leben.

Addie tätschelte ihm die Hand. Danke. Das ist wirklich ein Grund zur Hoffnung, nicht?

Kennen Sie zufällig jemanden, der es mit einem alten Weizenfarmer versuchen würde?

Ich kann mich ja mal umhören, sagte sie.

Ich stehe im Telefonbuch. Man kann mich erreichen.

Und wie geht es dir sonst so?

Ach, das Übliche, weißt du. Mein Junge hat den Weizen reingeholt und ist ab nach Vegas. Hält es einfach nicht aus, wenn er ein bisschen Geld in der Tasche hat. Außerdem hat er ein Mädel dabei, sie kommt von drüben aus Brush. Ich habe sie nie gesehen. Wahrscheinlich sehr hübsch.

Warum bist du nicht mitgefahren?

Himmelarsch! Er warf einen Blick auf Jamie.

Bitte um Verzeihung. Ich hab mir noch nie was draus gemacht, mit Fremden zusammenzuhocken und Karten zu spielen. Wenn es um eine Runde Poker bei dir zu Hause ginge oder bei irgendwem sonst hier, na ja, das wäre was anderes. Da weiß man, mit wem man spielt, und es macht mehr Spaß. Aber in Städten fühle ich mich einfach nicht wohl.

Und wie war die Ernte dieses Jahr?

Ziemlich gut, Louis. Ich will es eigentlich gar nicht laut sagen. Aber es war eins der besten Jahre, die wir seit langem hatten. Der Regen kam genau zur richtigen Zeit und in der richtigen Menge, und wir hatten kein einziges Mal Hagel hier bei uns. Unser Nachbar im Süden hat welchen abgekriegt. Aber wir hatten ein Riesenglück.

Die Kellnerin brachte ihre Teller.

Ich halte euch vom Essen ab. Er stand auf und streckte dem Jungen noch einmal die Hand hin. Aber diesmal hab Mitleid mit einem alten Mann, okay? Der Junge griff zögernd nach seiner Hand und berührte ihn kaum. Na dann, bis zum nächsten Mal.

Pass auf dich auf.

War nett, Sie kennenzulernen, Mrs. Moore.

Nach dem Essen fuhren sie hinaus auf die Felder, die zu Thompkins Farm im Nordosten der Stadt gehörten. Hier stiegen sie aus und sahen sich die

Stoppeln im Sternenlicht an, sie waren dick und gleichmäßig.

Es muss wirklich eine gute Ernte gewesen sein, sagte Louis. Das freut mich. Er hatte auch schon schlimme Jahre. Wie jeder hier.

Aber dieses Jahr nicht, sagte Addie.

Nein. Dieses Jahr nicht.

33

Er starb an einem Sonntagmorgen während der Messe, sagte Addie. Das weißt du sicher.

Ja, ich erinnere mich.

Es war im August, in der Kirche war es drückend und schwül, und Carl trug immer einen Anzug, selbst an den heißesten Tagen. Er fand, dass man das von einem Geschäftsmann, einem Versicherungsvertreter, so erwartete. Er glaubte immer, er müsse den Schein wahren. Ich weiß nicht, warum oder für wen das wichtig sein sollte. Aber für ihn spielte es tatsächlich eine Rolle. Mitten in der Predigt merkte ich, wie er sich an mich lehnte, und dachte: Er ist eingeschlafen. Nun, lassen wir ihn schlafen. Er ist müde. Doch dann rutschte er plötzlich nach vorn und schlug mit dem Kopf gegen die Kirchenbank vor uns, ehe ich ihn festhalten konnte. Ich streckte den Arm aus, doch er fiel einfach vornüber aus der Bank zu Boden. Ich beugte mich über ihn und flüsterte: Carl, Carl! Die Leute ringsum starrten ihn an, und der Mann, der neben ihm gesessen hatte, rutschte herüber und half mir, ihn aufzurichten. Der Priester unterbrach seine Predigt, weitere Leute standen auf und kamen uns zu Hilfe. Ruft einen Krankenwagen, sagte jemand. Wir hoben ihn vom Boden und legten ihn auf eine Kirchenbank. Ich versuchte es mit Mund-zu-Mund-Beatmung und Herz-Druck-Massage, aber es war bereits zu spät. Dann kamen die Männer vom Rettungsdienst. Ob ich ihn ins Krankenhaus bringen wolle, fragten sie. Nein, gleich ins Bestattungsinstitut, sagte ich. In diesem Fall muss zuerst der Coroner kommen, sagten sie. Also warteten wir auf den Coroner, und irgendwann kam er und erklärte Carl für tot.

Der Krankenwagen fuhr ihn zum Bestattungsinstitut, Gene und ich folgten mit dem Auto. Der Bestattungsunternehmer ließ uns mit Carl allein in einem Hinterzimmer, das ganz förmlich und ruhig war, nicht der Raum, in dem sie die Leute einbalsamieren. Ich erklärte, dass ich keine Einbalsamierung wolle. Gene wollte das auch nicht. Er hatte gerade Sommerferien vom College und war deshalb zu Hause. So saßen wir mit der Leiche seines Vaters in diesem Zimmer. Gene konnte ihn nicht anfassen. Ich beugte mich über Carls Gesicht und küsste ihn. Da war er schon kalt, und seine Augen wollten sich nicht schließen lassen. Es war unheimlich und seltsam und sehr still in diesem Zimmer. Gene rührte ihn kein einziges Mal an. Irgendwann ging er nach draußen, und ich blieb noch ein paar Stunden, zog mir einen Stuhl heran, beugte mich zu ihm hinüber und nahm seine Hand. Ich dachte an all die Zeiten, in denen zwischen uns alles gut schien. Und am Ende verabschiedete ich mich von ihm, ließ den Bestattungsunternehmer kommen und erklärte, wir seien jetzt fertig fürs Erste und wollten Carl einäschern lassen. Ich traf die entsprechenden Entscheidungen. Es kam alles so plötzlich. Ich war wie in einer Art Trance. Vermutlich stand ich einfach unter Schock.

Kein Wunder, sagte Louis.

Bis heute sehe ich alles genau vor mir und spüre diese Jenseitigkeit, das Gefühl, sich in einem Traum zu bewegen und Entscheidungen zu treffen, von denen man nicht einmal ahnte, dass man sie eines Tages treffen muss. Oder dass das, was man sagt, Bestand hat.

Gene wühlte das alles furchtbar auf. Aber er sprach nicht darüber. In dieser Hinsicht war er wie sein Vater. Keiner von beiden sprach über solche Sachen. Gene blieb noch eine Woche bei mir und kehrte dann ins College zurück. Er konnte früher in seine Wohnung zurück als vorgesehen und kam den ganzen Sommer nicht nach Hause. Es wäre besser gewesen, wenn wir uns gegenseitig hätten helfen können, aber es ging nicht. Ich selbst habe mich auch nicht besonders darum bemüht. Ich wollte, dass er blieb, sah aber, dass es keinem von uns beiden guttat. Wir gingen einander nur aus dem Weg, und wenn ich versuchte, mit ihm über seinen Vater zu sprechen, sagte er: Schon gut, Mom. Das ist jetzt nicht wichtig. Natürlich war es wichtig. Er hatte eine Menge Ärger und Groll Carl gegenüber in sich angestaut und schleppt ihn wahrscheinlich bis heute mit sich herum. Teilweise leidet sogar seine Beziehung zu Jamie darunter. Er scheint genau das zu wiederholen, was zwischen ihm und seinem eigenen Vater geschehen ist.

Manches lässt sich eben nicht mehr reparieren, was?, sagte Louis.

Man möchte es immer. Aber manchmal geht es nicht.

34

An einem Sonntag saßen sie beim Morgenkaffee am Küchentisch. In der *Post* stand eine Anzeige für die kommende Theatersaison im Center for the Performing Arts in Denver. Hast du gesehen, dass sie dieses letzte Buch über Holt County auf die Bühne bringen wollen, fragte Addie. Das mit dem sterbenden alten Mann und dem Priester.

Sie haben schon die anderen beiden gebracht, warum also nicht auch dieses, sagte Louis.

Hast du sie gesehen?

Ja, hab ich. Aber ich kann mir nicht vorstellen, dass zwei alte Viehzüchter ein schwangeres Mädchen bei sich aufnehmen.

Möglich wäre es, sagte sie. Manchmal tun Leute ganz unerwartete Dinge.

Ich weiß nicht, meinte Louis. Das ist einfach seine Phantasie. Er hat die äußeren Details von Holt übernommen, die Straßennamen, wie es auf dem Land aussieht und wo alles ist, aber es ist nicht diese Stadt. Und es geht auch nicht um irgendwen von hier. Das hat er alles erfunden. Hast du vielleicht zwei solche alten Brüder gekannt? Ist das wirklich hier passiert?

Nicht dass ich wüsste. Oder irgendwo davon gehört hätte.

Hat er alles nur erfunden, sagte er.

Er könnte ein Buch über uns schreiben. Wie fändest du das?

Ich möchte mich nicht in einem Buch wiederfinden, sagte Louis.

Wir sind nicht weniger unglaubwürdig als die Geschichte mit den beiden alten Viehzüchtern.

Das ist doch was anderes.

Wie anders?, hakte Addie nach.

Nun, es geht um uns. Ich finde uns überhaupt nicht unglaubwürdig.

Zu Anfang schon.

Ich wusste nicht, was ich davon halten sollte. Du hast mich überrascht.

Und jetzt fühlt es sich ganz okay an, oder?

Es war eine gute Überraschung. Das will ich nicht leugnen. Aber ich habe immer noch nicht verstanden, warum du mich gefragt hast.

Hab ich dir doch erklärt. Ich war einsam. Ich wollte mich nachts mit jemandem unterhalten.

Es kommt mir so mutig vor. Du hast etwas riskiert.

Ja. Aber wenn es nicht geklappt hätte, wäre ich nicht schlechter dran gewesen als vorher. Bis auf die Demütigung, mir einen Korb eingehandelt zu haben. Aber ich dachte, du würdest es sicherlich nicht überall herumposaunen, also hätten nur du und ich davon gewusst, falls du nein gesagt hättest. Doch jetzt wissen es alle. Seit Monaten schon. Wir sind längst Schnee von gestern.

Nicht mal das. Wir interessieren keinen Menschen mehr, weder Alt noch Jung, sagte Louis.

Möchtest du, dass jemand sich für dich interessiert?

Nein. Um Gottes willen! Ich will nur friedlich vor mich hin leben und darauf achten, was Tag für Tag passiert. Und abends herkommen und bei dir schlafen.

Ja, genau das tun wir. Wer hätte gedacht, dass wir in unserem Alter noch einmal so etwas erleben. Dass noch längst nicht alle Veränderungen und Aufregungen hinter uns liegen, wie sich herausstellt. Dass wir noch nicht körperlich und geistig vertrocknet sind.

Und dabei tun wir nicht mal das, was die Leute glauben.

Möchtest du es denn tun?

Das kommt ganz auf dich an.

35

Ende August machte Gene sich eines Samstags auf den Weg über die Berge, um seinen Sohn abzuholen. Am späten Nachmittag kam er in Holt an, stieg aus und umarmte seine Mutter und den Kleinen. Dann spazierte er mit Jamie und Bonny die Straße entlang.

Magst du sie nicht?

Natürlich mag ich sie.

Du hast sie noch nie angefasst. Nicht mal gestreichelt.

Er bückte sich zu Bonny, tätschelte ihren Kopf und sagte irgendwas Nettes zu ihr, dann gingen sie weiter um den Block und durch die Gasse zurück zu Addies Haus. Dort aßen sie zu Abend, und nachts schlief Gene mit Jamie und dem Hund in dem Doppelbett in seinem alten Zimmer. Louis ließ sich nicht blicken.

Am Morgen packten sie Jamies Kleider zusammen, das Spielzeug, seine Baseballsachen, den Hundenapf und das Futter für Bonny. Dann sagte der Junge: Ich muss mich von Louis verabschieden.

Wir sollten langsam los.

Nur eine Minute, Dad. Es ist wichtig.

Dann beeil dich.

Er rannte rüber zu Louis' Haus, doch der war nicht zu Hause. Jamie öffnete die Tür, rief hinein und lief durch alle Zimmer. Als er zurückkam, weinte er.

Du kannst ihn später anrufen, sagte sein Vater.

Das ist nicht dasselbe.

Wir können aber nicht warten. Es wird ohnehin schon spät, bis wir wieder zu Hause sind.

Addie drückte ihn fest an sich und sagte: Ruf mich an, ja? Ich will wissen, wie es dir geht und was die Schule macht. Jamie klammerte sich an sie. Behutsam löste sie seine Hände. Versprich mir, dass du mich anrufst.

Mach ich, Grandma.

Sie gab Gene einen Kuss. Und du musst Geduld haben.

Ja, Mom, ich weiß.

Hoffentlich. Melde dich.

Sie fuhren los, der Junge und Bonny drückten sich zusammen ans hintere Wagenfenster, und sie stand am Straßenrand. Der Kleine weinte noch immer. Addie sah dem Wagen nach, bis er verschwunden war. Als es dunkel wurde, war Louis noch nicht aufgetaucht, deshalb rief sie ihn an. Wo bist du? Kommst du heute nicht?

Ich wusste nicht, ob es dir recht ist.

Du verstehst es immer noch nicht, was? Ich möchte nicht allein sein und vor mich hinbrüten so wie du, und alles in mich hineinfressen. Ich möchte, dass du herkommst, damit ich mit dir reden kann.

Lass mich erst noch duschen.

Du brauchst nicht zu duschen.

Doch, will ich aber. In einer Stunde bin ich da.

Na gut, sagte sie. Dann warte ich auf dich.

Er rasierte sich und duschte wie immer, dann ging er im Dunkel der Nacht hinüber, an den Häusern der Nachbarn vorbei, und sie saß auf der Vorderveranda und wartete auf ihn. Sie stand auf und kam bis zur Treppe und küsste ihn zum ersten Mal so, dass die Leute sie sehen konnten. Du bist manchmal so starrköpfig, sagte sie. Ich weiß nicht, ob du es je lernen wirst.

Ich habe mich eigentlich nie für begriffsstutzig gehalten, aber vielleicht hast du recht.

Was mich angeht, auf alle Fälle.

Ich weiß, wie ich zu dir stehe und wie viel du mir bedeutest. Aber ich kann einfach nicht glauben, dass es umgekehrt genauso ist.

Ich will nicht schon wieder davon anfangen. Das ist dein Problem, nicht meins. Und jetzt lass uns nach oben gehen.

Im Bett schmiegten sie sich aneinander, und sie sagte: Ich weiß nicht, wie das ausgehen soll.

Sprichst du noch immer über uns?

Ich spreche über meinen Sohn und meinen Enkel und seine Mutter. Er hat geweint, als sie aufgebrochen sind. Weißt du, warum?

Weil er dich vermissen wird.

Ja, sagte sie. Aber vor allem, weil er sich nicht von dir verabschieden konnte. Wo warst du?

Ich bin aufs Land rausgefahren, und dann bin ich zum Lunch rüber zu Phillips und war erst am späten Nachmittag wieder zu Hause.

Er war bei dir, um sich zu verabschieden, bevor sie losgefahren sind. Nur damit du weißt, wie gern er dich hat.

Ich hab ihn auch gern.

Ich kann nur hoffen, dass Gene und seine Frau sich jetzt besser vertragen. Vielleicht haben sie im Lauf des Sommers etwas gelernt. Ich mache mir jetzt schon Sorgen um sie.

Was hast du neulich zu mir gesagt? Dass man das Leben der anderen nicht reparieren kann?

Das galt für dich, sagte sie. Nicht für mich.

Verstehe, sagte Louis.

Ach, jetzt geht es mir schon besser, weil du neben mir liegst und ich mit dir reden kann.

Wir haben ja noch gar nicht viel geredet.

Aber mir geht es jetzt schon besser. Dafür danke ich dir. Ich bin dankbar für das alles. Im Moment komme ich mir wieder vor wie ein Glückspilz.

36

Nachdem Jamie nach Hause zurückgekehrt war, versuchten sie zu tun, was sie nach Meinung der Stadt schon die ganze Zeit taten, dabei stimmte es gar nicht. Mittlerweile war Louis dazu übergegangen, sich im Schlafzimmer auszuziehen. Als er in seinen Pyjama schlüpfte, stand er mit dem Rücken zum Bett, wo Addie unter einem Baumwolllaken lag. Von ihm unbemerkt hatte sie das Laken zurückgeschlagen und lag jetzt nackt im schwachen Schein der Nachttischlampe. Er stand da und betrachtete sie.

Steh nicht so da, sagte sie. Du machst mich nervös.

Unsinn, sagte er. Du bist wunderschön.

Ich bin zu schwer um Hüften und Bauch. Dieser alte Körper. Ich bin jetzt eine alte Frau.

Na schön, du alte Frau Moore. Du hast mich bezirzt. Du bist genau richtig. Du siehst so aus, wie du aussehen sollst. Und das ist keinesfalls wie eine Dreizehnjährige ohne Brüste und Hüften.

So sehe ich wirklich nicht mehr aus, wenn überhaupt je.

Schau mal, was aus mir geworden ist, sagte er. Was für eine Wampe ich jetzt habe. Und meine Arme und Beine sind dünne Altmänner-Arme und -Beine.

Ich finde, du siehst gut aus, sagte sie. Aber warum stehst du immer noch da? Willst du dich nicht hinlegen? Oder hast du vor, die ganze Nacht hier stehen zu bleiben?

Louis streifte den Pyjama ab und schlüpfte ins Bett. Sie rückte näher an ihn heran, nahm seine Hand und küsste ihn, und er drehte sich auf die Seite, küsste sie und streichelte ihre Schultern und Brüste.

Das hat schon lange niemand mehr getan, sagte sie.

Ich habe auch schon lange nichts mehr in der Art getan.

Dann küsste er sie erneut und liebkoste sie, und sie zog ihn näher zu sich heran. Er stützte sich auf den Ellbogen und küsste ihr Gesicht, den Hals, die Schultern, schob sich auf sie und fing an, sich zu bewegen, hielt aber kurz darauf wieder inne.

Was ist los?

Er bleibt nicht steif. Typisches Altmänner-Problem.

Hast du das schon mal gehabt?

Nein. Aber ich habe es auch seit Jahren nicht mehr probiert. Die Zeit der Schlaffheit ist gekommen, wie der Dichter sagt. Ich bin nur noch ein alter Nichtsnutz.

Er legte sich zurück und streckte sich neben ihr aus.

Findest du es schlimm?, fragte sie.

Ja, ein bisschen. Aber schlimmer als alles andere ist das Gefühl, dass ich dich enttäuscht habe.

Du hast mich nicht enttäuscht. Es war ja das erste Mal. Wir haben alle Zeit der Welt.

Vielleicht sollte ich diese Pillen probieren, für die sie im Fernsehen immer Werbung machen.

Ach, ich glaube, das geht auch so. Wir können es ja bald wieder versuchen.

37

Eines Nachts gingen sie im Dunkeln hinüber zum Schulhof der Grundschule, und Louis gab Addie auf der großen Kettenschaukel Schwung. Sie schaukelte hin und her in der kühlen, frischen Nachtluft des Spätsommers, und der Saum ihres Kleids flatterte bis über die Knie. Anschließend gingen sie zurück in ihr Bett im vorderen Zimmer oben im ersten Stock und lagen nackt nebeneinander in der Sommerluft, die durch die offenen Fenster hereinstrich. Und einmal übernachteten sie, wie Addie früher allein, in Denver, im eleganten alten Brown Palace Hotel mit seinem offenen Innenhof, der Lobby und dem Pianisten, der den ganzen Nachmittag und Abend über spielte. Ihr Zimmer war im zweiten Stock, und sie konnten über das Geländer in den Innenhof hinuntersehen, auf den Pianisten und die Leute, die an den Tischen saßen und Tee oder Cocktails tranken, und die Kellner, die zwischen der Bar und den Tischen hin und her liefen. Als es dämmerte, wechselten die Gäste in die

Bar oder das Restaurant mit seinen weißen Tischdecken, funkelnden Gläsern und dem Silberbesteck. Addie und Louis gingen nach unten und aßen im Restaurant, dann kamen sie wieder herauf, und Addie zog eins der teuren Kleider an, die sie sich vor Jahren eigens für Denver gekauft hatte. Draußen gingen sie zu Fuß bis zur Street Mall in der 16th Street und fuhren dann mit dem Pendelbus in die Curtis Street, schlenderten zum Denver Center und durch die Eingangshalle links zum Theater. Eine Frau führte sie zu ihren Plätzen in dem großen Auditorium. Sie beobachteten die anderen Besucher, die hereinkamen und sich unterhielten, und dann begann das Stück. Die Männer auf der Bühne trugen schwarze Hosen, Schlipse und weiße Hemden und sangen, an manchen Stellen lachte das Publikum. Addie und Louis hielten sich an der Hand und gingen in der Pause zur Toilette. Die Frauen warteten in einer langen Schlange. Louis kehrte schon einmal zu ihren Plätzen zurück, und Addie schaffte es gerade noch rechtzeitig vor Beginn des zweiten Teils.

Sag nichts, sagte sie.

Tu ich nicht.

Warum begreifen sie nicht, dass Frauen länger brauchen und mehr Kabinen brauchen?

Du weißt doch, warum, sagte er.

Weil es Männer sind, die solche Sachen planen, deshalb.

Sie sahen sich die zweite Hälfte an. Dann traten sie nach draußen in den Glanz der hellen Lichter vor dem Theater und nahmen ein Taxi zurück ins Hotel.

Magst du noch einen Drink?

Aber nur einen.

Sie gingen in die Bar, ließen sich an einen Tisch führen und tranken beide ein Glas Wein. Dann fuhren sie mit dem Lift in den zweiten Stock, zogen sich aus und legten sich in das extrabreite Bett. Als sie die Nachttischlampe ausknipsten, fiel nur noch das Licht von der Straße durch den Spitzenvorhang ins Zimmer.

Macht Spaß, nicht?, sagte sie.

Finde ich auch.

Sie rutschte näher an ihn heran.

Ich bin so glücklich, wie ich nur sein kann, sagte sie. Das ist genau das, was ich will, und morgen möchte ich wieder unser eigenes Bett.

Alles zur rechten Zeit und am rechten Ort, sagte er.

Wirst du mich nun in diesem großen Hotelbett küssen oder nicht?

Ich hatte darauf gehofft.

Am Morgen frühstückten sie spät, packten ihre

Sachen, und der Page brachte Louis' Wagen in die Hoteleinfahrt und half ihnen mit dem Gepäck. Louis gab ihm ein großzügiges Trinkgeld, so gut fühlte er sich. Dann folgten sie gemächlich dem U.S. Highway 34 über die Hochebene durch Fort Morgan und Brush bis nach Holt County hinein. Überall war die Landschaft flach und kahl, Bäume gab es nur in den Windschutzhecken, den Straßen der kleinen Städte und um die Farmhäuser herum. Der Himmel war wolkenlos, und am Horizont sah man nichts als noch mehr blauen Himmel.

Am Nachmittag kamen sie bei Addie an. Louis trug ihr Gepäck nach oben, brachte den Wagen nach Hause und packte seine Tasche aus. Als es dunkel wurde, ging er zum Schlafen hinüber zu ihr.

38

Am Labor Day beschlossen sie, über den Highway Richtung Osten zum Chief Creek zu fahren. Der Bach war flach und sandig, auf beiden Seiten waren die Ufer mit Gras, Weiden und Seidenpflanzen bewachsen. Das Vieh hatte das Gras bis knapp über dem Boden abgeweidet. In einem Wäldchen etwas entfernt von dem Bach gab es große alte Balsam-Pappeln. Addie packte den Picknickkorb aus, und Louis holte den Rechen und eine Schaufel aus dem Kofferraum und kratzte die alten, getrockneten Kuhfladen aus dem Schatten unter den Bäumen, wo das Vieh Schutz vor dem Wind gesucht hatte.

Du warst schon mal hier, sagte Addie. Du bist gut vorbereitet.

Wir waren oft hier draußen, als Holly noch klein war. Es ist beinahe der einzige Ort in der Gegend mit einem Wasserlauf und Schatten.

Ja, es ist hübsch. Nicht zu vergleichen mit den Bergen, aber hübsch für Holt County.

Ja.

Wird man uns auch nicht vertreiben?

Das glaube ich nicht. Das Land gehört Bill Martin. Früher hat er nie etwas dagegen gehabt, wenn wir hierherkamen.

Du kennst ihn also.

Du auch, glaube ich.

Nur dem Namen nach.

Ich hatte seine Kinder in meiner Klasse. Sie waren alle sehr aufgeweckt. Unruhestifter, aber intelligent. Inzwischen sind sie aus dem Haus. Ich nehme an, dass es schwer für ihn ist. Aber die jungen Leute wollen nun mal nicht hierbleiben.

Addie breitete eine Decke auf dem sauberen Boden aus. Dann setzten sie sich hin und aßen Brathähnchen, Weißkohlsalat, Möhrenstifte, Kartoffelchips und Oliven. Außerdem gab es für jeden noch ein Stück Schokoladenkuchen. Dazu tranken sie Eistee. Danach streckten sie sich auf der Decke aus und blickten zu den grünen, schwankenden Ästen des Baums empor, dessen Blätter in der sanften Brise tanzten und flatterten.

Nach einer Weile setzte Louis sich auf, zog Schuhe und Strümpfe aus und krempelte die Hosenbeine hoch. So ging er über die heiße Erde zum Bach und watete in das kühle Wasser auf dem sandigen Grund, schöpfte mit beiden Händen davon und benetzte Gesicht und Arme. Addie kam nach, barfuß in ihrem Sommerkleid. Sie zog den Saum bis über die Knie und folgte ihm ins Wasser.

Ach, es gibt einfach nichts Besseres an so einem heißen Tag! Hier war ich noch nie. Ich wusste nicht einmal, dass es in Holt County so etwas gibt.

Halten Sie sich einfach an mich, meine Dame, sagte er, da können Sie eine Menge lernen.

Louis zog Hemd, Hose und Unterwäsche aus, legte sie ins Gras und kehrte in den Bach zurück. Erst bespritzte er sich ein bisschen mit Wasser, dann setzte er sich hinein.

Na schön, sagte Addie. Wenn du das kannst … Sie zog das Kleid über den Kopf, streifte die Unterwäsche ab und ließ sich neben ihm im kühlen Wasser nieder. Und es ist mir völlig egal, ob jemand uns sieht, sagte sie.

Ein Weilchen saßen sie einander gegenüber und legten sich dann im Wasser zurück. Beide hatten sehr blasse Haut, bis auf Gesichter, Hände und Arme. Sie waren ein bisschen müde, zufrieden. Sie spürten, wie die Strömung den Sand unter ihnen hinwegrieseln ließ.

Später gingen sie zurück zu ihrer Decke, trockneten sich ab und zogen sich an. Im Schatten der Bäume hielten sie in der Nachmittagshitze ein Schläfchen, standen dann auf und wateten noch einmal in den Bach, um sich abzukühlen, bevor sie die Reste des Essens einpackten und nach Holt zurückfuhren. Er setzte sie vor ihrem Haus ab, und sie trug den Picknickkorb hinein, während er einen Block weiterfuhr, den Wagen parkte und Rechen und Schaufel in den Schuppen zurückbrachte. Kaum war er im Haus, klingelte das Telefon.

Am besten kommst du gleich noch mal her, sagte Addie.

Was ist denn los?

Gene ist hier. Er möchte mit uns beiden sprechen.

Ich bin gleich da.

Gene saß im Wohnzimmer auf der Couch, Addie gegenüber. Setzen Sie sich, Louis, sagte er.

Louis warf ihm einen Blick zu, ging quer durchs Zimmer und küsste Addie auf den Mund. Demonstrativ. Erst dann nahm er Platz.

Worum geht es denn?

Darauf komme ich gleich, sagte Gene. Ich habe den ganzen Nachmittag auf euch gewartet.

Ich habe ihm erzählt, wo wir waren, sagte Addie. Ist nichts Besonderes, der Ort.

Kommt ganz drauf an. Je nachdem, mit wem man zusammen ist, sagte Louis.

Darum bin ich hier. Ich möchte, dass das aufhört.

Sie meinen, dass wir beide zusammen sind?, fragte Louis.

Ich meine, dass Sie nachts hierherschleichen, zum Haus meiner Mutter.

Niemand schleicht hierher, sagte Addie.

Das stimmt. Ihr schämt euch nicht mal.

Es gibt nichts, wofür man sich schämen müsste.

Leute in eurem Alter und treffen sich im Dunkel der Nacht!

Es ist wunderbar. Ich wünschte, Beverly und du hättet es so gut miteinander wie Louis und ich.

Was würde Dad sagen, wenn er an meiner Stelle wäre?

Er würde gar nicht erst davon reden wollen. Aber vermutlich hätte er es nicht gebilligt. So etwas hätte er selber nie getan, selbst wenn er daran gedacht hätte.

Nein. Er hätte es nicht gebilligt. Er war vernünftiger, er wusste, was er seinem Ruf schuldig war.

Ach, du lieber Himmel! Ich bin siebzig. Es ist mir egal, was man in der Stadt von mir denkt. Und es wird dich vielleicht interessieren, dass wenigstens ein Teil der Leute unsere Beziehung billigt.

Das glaube ich nicht.

Ob Sie es glauben oder nicht, spielt keine Rolle.

Für mich schon! Sie fahren mit meiner Mutter nach Denver. Sie zelten mit meinem Sohn in den

Bergen. Und dann schlaft ihr auch noch mit ihm im selben Bett, Herrgott!

Woher weißt du das?, fragte Addie.

Ach, vergiss es. Ich weiß es. Was zum Teufel habt ihr euch dabei gedacht?

Wir haben uns Sorgen um ihn gemacht, sagte Louis. Er hatte Angst. Wir haben ihn zu uns geholt, um ihn zu beruhigen.

Ja, und jetzt heult er jede Nacht. Das hat hier angefangen.

Es fing an, als du ihn hergebracht hast, sagte Addie.

Mom, du weißt, warum ich ihn hergebracht habe. Du weißt, dass ich meinen Sohn liebe.

Aber kannst du es nicht dabei belassen? Kannst du ihn nicht einfach liebhaben? Er ist so ein netter kleiner Kerl. Das ist alles, was er sich wünscht.

So wie Dad mich liebhatte, meinst du.

Ich weiß, dass dein Vater nicht immer nett zu dir war.

Nett! Mein Gott, nachdem Connie tot war, wollte er nichts mehr mit mir zu tun haben.

Gene wischte sich über die Augen. Dann sah er Louis an. Ich möchte, dass Sie sich von meiner Mutter fernhalten. Meinen Sohn in Ruhe lassen. Und sich das Geld meiner Mutter aus dem Kopf schlagen.

Halt den Mund, Gene, sagte Addie. Kein Wort mehr. Was ist denn in dich gefahren?

Louis erhob sich von der Couch. Jetzt hören Sie mal gut zu, sagte er. Es tut mir leid, dass Sie so denken. Ich habe Ihrem Sohn niemals etwas zuleide getan. Und Ihrer Mutter auch nicht. Aber ich werde mich nur dann von ihr fernhalten, wenn sie es will. Im Übrigen interessiere ich mich ganz sicher nicht für ihr Geld, glauben Sie mir. Wenn Sie dazu noch etwas zu sagen haben, können wir morgen weiterreden.

Louis beugte sich über Addie, gab ihr einen Kuss und ging.

Ich schäme mich für dich, sagte Addie. Ich weiß nicht, was ich sagen soll. Die ganze Sache macht mich krank. Und traurig.

Hör einfach auf, dich mit ihm zu treffen.

In dieser Nacht zog Addie die Decke bis über das Gesicht, wandte sich vom Fenster ab und weinte.

39

Nach dem Gespräch mit Gene trafen Addie und Louis sich weiterhin. Er kam abends zu ihr, aber es hatte sich etwas verändert. Es war nicht mehr dieselbe unbeschwerte Freude und Abenteuerlust. Und mit der Zeit gab es Abende, an denen er zu Hause blieb, Nächte, in denen sie stundenlang allein las und nicht wollte, dass er bei ihr im Bett lag. Sie wartete nicht mehr nackt auf ihn. Sie lagen nachts immer noch eng aneinandergeschmiegt, wenn er kam, aber das hatte mehr mit Gewohnheit, Verzweiflung und einer Vorahnung von Einsamkeit und Verzagtheit zu tun, so als versuchten sie, diese gemeinsamen Augenblicke zu bewahren und zu speichern in Erwartung dessen, was kommen würde. Jetzt lagen sie wach und stumm Seite an Seite und schliefen nicht mehr miteinander.

Dann kam der Tag, als Addie versuchte, ihren Enkel anzurufen. Sie konnte den Jungen im Hintergrund weinen hören, doch sein Vater ließ ihn nicht mit ihr sprechen.

Warum tust du das?, fragte sie.

Du weißt, warum. Wenn es sein muss, ziehe ich das durch.

Ach, du bist einfach gemein. Das ist grausam. Ich hätte nicht gedacht, dass du so weit gehen würdest.

Es liegt nur an dir, es zu ändern.

Eines Nachmittags rief sie ihren Enkel an, als sie ihn allein zu Hause vermutete. Doch er wollte nicht mit ihr reden. Sonst werden sie wütend, sagte er. Dann fing er an zu weinen. Sie nehmen mir Bonny weg. Und mein Handy.

O Gott, sagte Addie. Ist schon gut, mein Schatz.

Als Louis Mitte der Woche zu ihr kam, ging sie mit ihm in die Küche, stellte ihm ein Bier hin und schenkte sich selbst ein Glas Wein ein.

Ich möchte etwas mit dir besprechen. Hier, im Licht.

Noch etwas, das sich geändert hat, sagte er.

Ich kann nicht mehr, sagte sie. Ich kann so nicht leben. Ich hatte schon mit etwas in der Art gerechnet. Ich muss Kontakt, irgendeine Art von Zugang zu meinem Enkel haben. Er ist das Einzige, was ich noch habe. Mein Sohn und seine Frau bedeuten mir nichts mehr. Da ist zu viel kaputtgegangen, und ich glaube nicht, dass sie oder ich je darüber hinwegkommen. Aber meinen Enkel möchte ich behalten. Das hat mir dieser Sommer gezeigt.

Er liebt dich.

Ja. Er ist der Einzige von meiner Familie, der mich liebt. Er wird mich überleben. Er wird bei mir sein, wenn ich sterbe. Die anderen können mich mal. Sie sind mir egal. Sie haben es zerstört. Gene traue ich nicht über den Weg. Wer weiß, wozu er sonst noch fähig ist.

Du möchtest also, dass ich gehe.

Nicht heute. Eine Nacht noch. Würdest du heute noch hierbleiben?

Ich dachte, du wärst die Mutigere von uns.

Ich kann nicht mehr mutig sein.

Vielleicht wird Jamie kämpfen und dich von sich aus anrufen.

Nein, jetzt noch nicht. Das schafft er nicht, er ist doch erst sechs. Vielleicht wenn er sechzehn ist. Aber so lange kann ich nicht warten. Ich könnte schon tot sein. Ich darf diese Jahre mit ihm nicht versäumen.

Dann ist dies unsere letzte Nacht.

Ja.

Sie gingen nach oben. Im Dunkeln lagen sie im Bett und redeten noch ein bisschen. Addie weinte. Er legte den Arm um sie und hielt sie fest.

Wir hatten eine schöne Zeit, sagte Louis. Du warst sehr wichtig für mich. Ich bin dankbar. Ich weiß es zu schätzen.

Jetzt wirst du auch noch zynisch.

Das möchte ich nicht. Ich meine es so, wie ich es gesagt habe. Du warst gut für mich. Was kann man sich Schöneres wünschen? Ich bin ein besserer Mensch als vorher. Das ist dein Werk.

Ach, du bist immer noch so nett zu mir. Danke, Louis.

Sie lagen wach und lauschten dem Wind, der ums Haus tobte. Gegen zwei Uhr morgens stand Louis auf und ging ins Bad. Als er wiederkam, sagte er: Du bist ja immer noch wach.

Ich kann nicht schlafen.

Um vier stand er wieder auf, zog sich an und packte seine Zahnbürste und den Pyjama in die Papiertüte.

Gehst du?

Ich glaub schon.

Aber die Nacht dauert noch ein paar Stunden.

Was hat es für einen Sinn, es hinauszuzögern?

Sie begann wieder zu weinen.

Er ging nach unten und dann nach Hause, vorbei an den alten Bäumen und den Häusern, die um diese Zeit finster und fremd waren. Der Himmel war noch dunkel, nichts rührte sich. Keine Autos in den Straßen. Zu Hause lag er im Bett und wartete auf die ersten Zeichen der Morgendämmerung in dem Fenster, das nach Osten ging.

Das Wetter hielt sich den Herbst über, und Louis ging häufig nachts an ihrem Haus vorbei und sah zu dem Licht auf, das in ihrem Schlafzimmer brannte, ihrer Nachttischlampe, die er kannte, dem Raum mit dem großen Bett, der dunklen Holzkommode, dem Bad am Ende des Gangs. Er erinnerte sich an jede Einzelheit des Raums, an die Nächte, in denen sie im Dunkeln gelegen und geredet hatten, an die Nähe zwischen ihnen. Dann sah er eines Nachts ihr Gesicht am Fenster und blieb stehen. Es gab keine Reaktion, keinen Hinweis darauf, dass sie ihn gesehen hatte. Doch als er wieder zu Hause war, rief sie ihn an.

Das darfst du nicht mehr tun.

Was denn?

An meinem Haus vorbeigehen. Ich ertrage es nicht.

So weit ist es also gekommen. Du willst mir vorschreiben, was ich tun kann und was nicht. Noch dazu in meiner eigenen Nachbarschaft.

Ich ertrage es nicht, dass du vorbeigehst und ich daran denke, dass du vielleicht vorbeigehst. Oder mich frage, ob du es tust. Ich will mir nicht vorstellen, dass du vor dem Haus stehst. Ich brauche physischen Abstand zu dir.

Ich dachte, den hättest du bereits.

Nicht, wenn du nachts an meinem Haus vorbeigehst.

Und so ging er nie wieder nachts an dem vertrauten Haus vorbei. Tagsüber war es egal. Und die paar Male, die sie sich zufällig beim Einkaufen oder auf der Straße begegneten, sahen sie einander an und sagten hallo, aber das war alles.

41

An einem schönen Tag, als sie kurz nach Mittag allein in der Stadt war, rutschte Addie auf dem Bordstein der Main Street aus. Sie stürzte und wollte sich festhalten, doch es gab nichts, woran sie sich hätte festhalten können, und so lag sie auf der Straße, bis ein paar Passanten ihr zu Hilfe kamen.

Heben Sie mich nicht hoch, sagte sie. Irgendwas ist gebrochen.

Eine Frau kniete sich neben sie, und einer der Männer schob ihr seinen zusammengefalteten Mantel unter den Kopf. Sie blieben bei ihr, bis der Krankenwagen kam. Im Krankenhaus sagte man ihr, dass sie sich die Hüfte gebrochen hatte, und sie bat die Schwester, Gene anzurufen. Er kam noch am selben Tag, und es wurde beschlossen, sie in ein Krankenhaus in Denver zu verlegen. So verließ sie Holt im Krankenwagen. Gene folgte in seinem eigenen Auto.

Drei Tage später saß Louis mit den Männern,

die er gelegentlich zum Kaffee traf, in der Bäckerei. Ich nehme an, du weißt Bescheid, sagte Dorlan Becker.

Was meinst du?

Ich meine Addie Moore.

Was ist mit Addie Moore?

Sie hat sich die Hüfte gebrochen. Man hat sie nach Denver gebracht.

Wo genau in Denver?

Das weiß ich nicht. In eins der Krankenhäuser dort.

Louis ging nach Hause und rief alle Krankenhäuser an, bis er das richtige fand. Am nächsten Tag fuhr er nach Denver, wo er spätnachmittags eintraf. Am Empfang gab man ihm ihre Zimmernummer. Er nahm den Aufzug in den dritten Stock, ging einen Gang entlang und fand das Zimmer. In der Tür blieb er stehen. Gene und Jamie saßen an ihrem Bett.

Als Addie ihn sah, stiegen ihr Tränen in die Augen.

Darf ich reinkommen?, fragte er.

Nein, dürfen Sie nicht, sagte Gene. Sie sind hier nicht erwünscht.

Bitte, Gene, ich möchte nur hallo sagen.

Fünf Minuten, sagte er. Mehr nicht.

Louis trat näher und blieb am Fußende stehen.

Jamie kam zu ihm und umarmte ihn, und Louis drückte ihn an sich.

Wie geht's Bonny?

Sie kann jetzt einen Ball fangen. Sie springt in die Luft und schnappt ihn.

Das ist schön.

Gehen wir, sagte Gene. Wir warten draußen. Fünf Minuten, Mom. Keine Widerrede.

Jamie und er verließen das Krankenzimmer.

Willst du dich nicht setzen?

Louis zog einen der Stühle heran und setzte sich neben sie, dann nahm er ihre Hand und küsste sie.

Tu das nicht, sagte sie und zog die Hand zurück. Das ist eine Ausnahme. Nur ein Augenblick. Mehr haben wir nicht. Sie betrachtete sein Gesicht. Wer hat dir gesagt, dass ich hier bin?

Der Typ aus der Bäckerei. Stell dir vor, ausgerechnet ihm habe ich dafür zu danken. Ist alles in Ordnung?

Es wird wieder.

Darf ich dir helfen?

Nein, bitte. Du musst gehen. Du kannst nicht lange bleiben. Es hat sich nichts verändert.

Aber du brauchst Hilfe.

Ich habe schon mit der Physiotherapie angefangen.

Du wirst zu Hause Hilfe brauchen.

Ich komme nicht mehr nach Hause.

Was soll das heißen?

Gene hat schon alles organisiert. Ich ziehe nach Grand Junction in eine Seniorenresidenz.

Dann kommst du gar nicht mehr zurück?

Nein.

Herrgott, Addie! Das lasse ich nicht zu! Das passt nicht zu dir.

Ich kann es nicht verhindern. Ich muss mich an meine Familie halten.

Lass mich deine Familie sein.

Und was ist, wenn du stirbst?

Dann kannst du immer noch zu Gene und Jamie ziehen.

Nein. Ich muss es tun, solange ich noch imstande bin, mich umzugewöhnen. Ich kann nicht warten, bis ich zu alt bin. Dann kann ich mich nicht mehr anpassen, habe vielleicht nicht einmal mehr die Wahl. Du musst jetzt gehen. Und bitte, komm nicht wieder. Es ist zu schwer.

Er beugte sich vor und küsste sie auf den Mund, auf die Augen. Dann verließ er das Zimmer und ging durch den Gang zum Aufzug. Eine Frau stand darin. Sie warf einen Blick in sein Gesicht und sah dann weg.

42

Eines Abends rief sie ihn von ihrem Handy aus an. Sie saß in einem Sessel in ihrer neuen Wohnung. Sprichst du noch mit mir?

Es folgte eine lange Pause.

Louis, bist du noch da?, fragte sie.

Ich dachte, wir reden jetzt nicht mehr miteinander.

Ich muss. So geht es nicht weiter. Es ist schlimmer als bevor es mit uns anfing.

Und Gene?

Er muss es ja nicht wissen. Wir können nachts telefonieren.

Das klingt nach Versteckspiel. Genau wie er gesagt hat. Heimlichkeiten.

Das ist mir egal. Ich bin zu einsam. Ich vermisse dich zu sehr. Willst du nicht mit mir reden?

Ich vermisse dich auch, sagte er.

Wo bist du?

Du meinst, wo im Haus?

Bist du im Schlafzimmer?

Ja, ich habe gelesen. Was soll das hier werden, Telefonsex?

Nur zwei alte Leute, die sich im Dunkeln unterhalten, sagte Addie.

43

Störe ich?, fragte Addie.

Nein, ich bin gerade heraufgekommen.

Tja, und ich habe gerade an dich gedacht. Ich wollte unbedingt mit dir reden.

Ist alles in Ordnung?

Jamie ist nach der Schule wieder vorbeigekommen, und wir sind um den Block gegangen. Er hat Bonny mitgebracht.

Hatte er sie an der Leine?

Die brauchte er gar nicht, sagte sie. Jamie hat erzählt, dass seine Eltern sich gestritten und angebrüllt haben. Was machst du denn dann, habe ich ihn gefragt. Ich gehe in mein Zimmer, hat er gesagt.

Hmm. Dann kann man ja wenigstens froh sein, dass er dich hat, sagte Louis.

Was hast du heute gemacht?

Nichts. Schnee geschippt. Ich habe einen Pfad bis zu deinem Block geschaufelt.

Warum?

Weil mir danach war. Die Leute, die dein Haus gemietet haben, kamen raus, um ein Schwätzchen zu halten. Ich glaube, sie sind ganz okay. Aber es ist immer noch dein Haus. Genau wie bei Ruth – es ist immer noch ihres.

So empfinde ich das auch.

Na ja. Trotzdem haben sich die Dinge verändert.

Ich bin im Bett, sagte sie. Hier in meinem Zimmer. Hatte ich das schon gesagt?

Nein. Aber ich habe es vermutet.

Weißt du, dieses Stück in Denver hat bald Premiere. Ich hoffe, du nutzt die Karten und fährst hin.

Ohne dich fahre ich nicht.

Du könntest Holly mitnehmen.

Das möchte ich nicht. Warum nimmst du die Karten nicht?

Ohne dich fahre ich auch nicht.

Dann werden zwei Fremde auf unseren Plätzen sitzen. Und keine Ahnung von uns haben.

Oder warum die Plätze plötzlich frei wurden.

Und ich darf dich immer noch nicht anrufen. Du willst nicht, dass ich mich von mir aus melde.

Ich habe Angst, dass jemand hier im Zimmer sein könnte. Ich würde es nicht schaffen, es zu überspielen.

Es ist genauso wie am Anfang. Als würden wir noch einmal ganz von vorn beginnen. Und du bist wieder diejenige, die den ersten Schritt macht. Nur sind wir jetzt vorsichtiger.

Aber wir setzen auch etwas fort. Nicht wahr?, sagte sie. Wir unterhalten uns immer noch. Solange wir können. Solange es dauert.

Worüber möchtest du heute Nacht reden?

Sie sah aus dem Fenster. Sie konnte ihr Spiegelbild in der Scheibe erkennen. Und die Dunkelheit dahinter.

Ist es bei dir heute kalt draußen, Liebling?

Danksagung

Der Autor dankt Gary Fisketjon, Nancy Stauffer, Gabrielle Brooks, Ruthie Reisner, Carol Carson, Sue Betz, Mark Spragg, Jerry Mitchell, Laura Hendrie, Peter Carey, Rodney Jones, Peter Brown, Betsy Burton, Mark und Kathy Haruf, Sorel, Mayla, Whitney, Charlene, Chaney, Michael, Amy, Justin, Charlie, Joel, Lilly, Jennifer, Henry, Destiny, cj, Jason, Rachael, Sam, Jessica, Ethan, Caitlin, Hannah, Fred Rasmussen, Tom Thomas, Jim Elmore, Alberta Skaggs, Greg Schwipps, Mike Rosenwald, Jim Gill, Joey Hale, Brian Coley, Troy Gorman und ganz besonders Cathy Haruf.

J. Paul Henderson
Letzter Bus nach
Coffeeville

Roman. Aus dem Englischen
von Jenny Merling

Drei in jeder Hinsicht ziemlich älteste Freunde reisen in einem klapprigen Tourbus der Beatles durch
die USA. Gene, ein Arzt im Ruhestand, versucht ein
ungewöhnliches Versprechen einzulösen, das die Südstaatlerin Nancy ihm als Studentin in der ersten Liebesnacht in Pennsylvania abgenommen hat: ihr zu helfen und sie zurück nach Mississippi zu bringen, falls
sie dereinst die in ihrer Familie scheinbar erbliche
»Krankheit des Vergessens« bekommen sollte. Nach
jener Nacht verschwand Nancy spurlos. Vierzig Jahre
später ruft sie wieder an. Die Magical Mystery Tour
beginnt. Als Dritter fährt Bob mit, ein Vietnamveteran, der gelernt hat, es mit heimtückischen Gegnern
aufzunehmen.
Das Feelgood-Debüt eines sehr menschlichen Erzählers, lebensnah, warm und voller Humor.

»Absolut brillant, voller Humor – ein Roman, der
Mut macht, für Fans von *Die unwahrscheinliche Pil*
gerreise des Harold Fry und *Der Hundertjährige, der*
aus dem Fenster stieg und verschwand.«
Conor Mills / Huffington Post, New York

John Irving
im Diogenes Verlag

»Der literarische Großmeister.«
Brigitte, Hamburg

Das Hotel New Hampshire
Roman. Aus dem Amerikanischen von
Hans Hermann

Laßt die Bären los!
Roman. Deutsch von Michael Walter

Eine Mittelgewichts-Ehe
Roman. Deutsch von Nikolaus Stingl

*Gottes Werk und
Teufels Beitrag*
Roman. Deutsch von Thomas Lind-
quist

*Die wilde Geschichte
vom Wassertrinker*
Roman. Deutsch von Edith Nerke und
Jürgen Bauer

Owen Meany
Roman. Deutsch von Edith Nerke und
Jürgen Bauer

Zirkuskind
Roman. Deutsch von Irene Rumler

Witwe für ein Jahr
Roman. Deutsch von Irene Rumler

My Movie Business
Mein Leben, meine Romane, meine
Filme. Mit zahlreichen Fotos aus dem
Film *Gottes Werk und Teufels Bei-
trag*. Deutsch von Irene Rumler

Die vierte Hand
Roman. Deutsch von Nikolaus Stingl

Bis ich dich finde
Roman. Deutsch von Dirk van Gunsteren und Nikolaus Stingl
Auch als Diogenes Hörbuch erschienen, gelesen von Rufus Beck

Die Pension Grillparzer
Eine Bärengeschichte. Deutsch von
Irene Rumler
Auch als Diogenes Hörbuch erschie-
nen, gelesen von Klaus Löwitsch

*Letzte Nacht in
Twisted River*
Roman. Deutsch von Hans M. Herzog

*Garp und wie er die Welt
sah*
Roman. Deutsch von Jürgen Abel

In einer Person
Roman. Deutsch von Hans M. Herzog
und Astrid Arz

Straße der Wunder
Roman. Deutsch von Hans M. Herzog

Außerdem erschienen:

*Ein Geräusch, wie wenn
einer versucht, kein
Geräusch zu machen*
Eine Geschichte von John Irving. Mit
vielen Bildern von Tatjana Haupt-
mann. Deutsch von Irene Rumler

Zurzeit ausschließlich als eBook er-
hältlich:

Die imaginäre Freundin
Vom Ringen und Schreiben. Deutsch
von Irene Rumler

sie Musik machen, setzen sie ihre eigenen Macken unter Strom und verwandeln sie in den Sound ihrer Befreiung. Eine Tragikomödie mit mehr als einem Ende.

»*Freaks* erzählt die Geschichte einer wunderbaren Freundschaft. Joey Goebel ist ein rasanter, grotesker und tieftrauriger Roman gelungen.«
Christine Lötscher / Tages-Anzeiger, Zürich

»Joey Goebel rockt das gleichgeschaltete Amerika.«
Evelyn Finger / Die Zeit, Hamburg

Auch als Diogenes Hörbuch erschienen,
gelesen von Cosma Shiva Hagen, Jan Josef Liefers,
Charlotte Roche, Cordula Trantow
und Feridun Zaimoglu

Heartland
Roman. Deutsch von Hans M. Herzog

John Mapother, Sohn der mächtigsten Familie im Provinznest Bashford, will in den amerikanischen Kongress, er hat nur keine Ahnung von der Welt seiner Wähler. Die aber hat sein jüngerer Bruder Blue Gene, das schwarze Schaf der Familie…
Ein großer amerikanischer Roman, hochintelligent, voller Witz und Melancholie.

»Böse, aber nie herzlos erzählt Goebel von jenen Gestalten, die beim *Pursuit of Happiness* ins Straucheln geraten.«   *Stern, Hamburg*

»Ein prächtiger amerikanischer Familienroman. Überschäumend, witzig, böse.«
Verena Lugert / Neon, München

Ich gegen Osborne
Roman. Deutsch von Hans M. Herzog

Ein ganz normaler Schultag. Doch der schüchterne James hat Stress an seiner Highschool Osborne: Er, der im Anzug des gerade verstorbenen Vaters zur Schule geht, scheint der einzige verantwortungsbewusste Heranwachsende in einer haltlosen, sexbesessenen Gesellschaft zu sein. Er kann seine Mitschüler nicht ausstehen (was auf Gegenseitigkeit beruht), die cool sein wollen und doch nur gefühllos und vulgär sind und sich gegenseitig drangsalieren. Und nun scheint auch noch seine Angebetete, Chloe, die so tickt wie er, während der Ferien in Florida ihre weibliche Seite entdeckt zu haben – und das nicht zu knapp.

Notgedrungen nimmt James den Kampf auf: Ich gegen Osborne! Nicht nur gegen den Direktor, den er mit seinem Wissen um dessen Sex-Eskapade mit einer Schülerin erpresst, sondern gegen die ganze Highschool. Der »Outsider der Outsider« beschließt, die Schule so aufzumischen wie noch kein Schüler vor ihm.

»Joey Goebel wird als literarische Entdeckung vom Schlag eines John Irving oder T.C. Boyle gefeiert.«
Stefan Maelck / Norddeutscher Rundfunk, Hamburg

Patricia Highsmith
im Diogenes Verlag

Im Frühling 2002 hat der Diogenes Verlag eine Werk-
ausgabe von Patricia Highsmith mit weltweit un-
veröffentlichten Stories aus dem Nachlass und mit
Neuübersetzungen ihres zu Lebzeiten erschienenen
Werks gestartet (u.a. von Nikolaus Stingl, Melanie
Walz, Irene Rumler, Christa E. Seibicke, Dirk van
Gunsteren, Werner Richter und Matthias Jendis). Alle
Bände in neuer Ausstattung, kritisch durchgesehen
nach den Originaltexten und mit einem Nachwort zu
Lebens- und Werkgeschichte. Die Edition macht sich
erstmals die Aufzeichnungen der Autorin zur Entste-
hungsgeschichte einzelner Werke, zu Plänen und In-
spirationsquellen zunutze und informiert über den
schöpferischen Prozess und über die Lebenszusam-
menhänge, wie sie sich aus den Notiz- und Tage-
büchern der Autorin rekonstruieren lassen.
Werkausgabe in 32 Bänden. Herausgegeben von Paul
Ingendaay und Anna von Planta in Zusammenarbeit
mit Ina Lannert, Barbara Rohrer und Kate Kingsley
Skattebol. Jeder Band mit einem Nachwort von Paul
Ingendaay.

Bisher erschienen:

Zwei Fremde im Zug
Roman. Aus dem Amerikanischen von
Melanie Walz

Der Schrei der Eule
Roman. Deutsch von Irene Rumler

Das Zittern des Fälschers
Roman. Deutsch von Dirk van Gunsteren

Die stille Mitte der Welt
Stories. Deutsch von Melanie Walz

Lösegeld für einen Hund
Roman. Deutsch von Christa E. Seibicke

Der talentierte Mr. Ripley
Roman. Deutsch von Melanie Walz
Auch als Diogenes Hörbuch erschie-
nen, gelesen von Gert Heidenreich

Ripley Under Ground
Roman. Deutsch von Melanie Walz

Die Augen der Mrs. Blynn
Stories. Deutsch von Christa E. Seibicke

Der Schneckenforscher
Stories. Deutsch von Dirk van Gunsteren
Eine Story auch als Diogenes Hörbuch erschienen: *Als die Flotte im Ha-
fen lag,* gelesen von Evelyn Hamann